이 책의 차례

C O N T E N T S

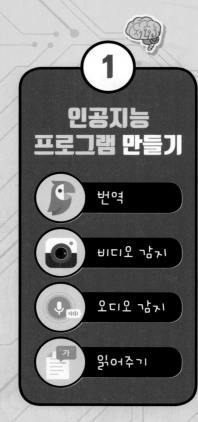

1

인공지능 프로그램 만들기

- 번역
- 비디오 감지
- 오디오 감지
- 읽어주기

인공지능 × entry

2

머신러닝 모델 만들기

분류 : 이미지

Aa 분류 : 텍스트

분류 : 음성

분류 : 숫자

인공지능과 엔트리 코딩에 대해 알아보아요

인공지능이란 무엇일까요?

인공지능(AI : Artificial Intelligence)이란 쉽게 말하면 '인간이 만든 지능'이라고 할 수 있어요. 사람들은 컴퓨터를 이용해서 스스로 생각하고 판단하여 문제를 해결할 수 있는 프로그램을 만들고, 이러한 프로그램을 '인공지능'이라고 부른답니다. 다시 말하면 사람의 지능을 닮은 프로그램이 바로 '인공지능'이지요.

로봇과 인공지능은 다른가요?

혹시 '인공지능'이라고 했을 때 로봇을 떠올린 친구들이 있나요? 그렇다면 반 정도는 이미 인공지능에 대해 알고 있다고 할 수 있어요. '로봇'은 사람과 비슷한 모습과 기능을 가진 기계 장치예요. '인공지능'은 로봇이 어떤 동작을 스스로 할 수 있게 명령을 내리는 프로그램이고요. 사람의 신체 기능과 비교하면 사람의 '뇌'가 인공지능이고, '몸통', '팔', '다리'가 로봇이라고 할 수 있어요.

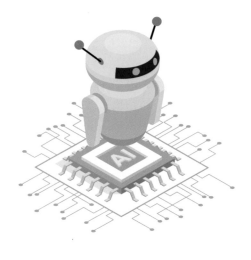

인공지능은 어느 곳에 활용되나요?

사람들이 인공지능을 만드는 이유는 무엇일까요? 어떠한 일을 처리해야 하는데 시간이 없거나 힘이 모자라는 경우, 도움을 받기 위해서예요. 인공지능은 논밭을 가꾸는 일, 자동차를 만드는 일, 운전을 하는 일, 병원에서 환자를 수술하거나 돌보는 일 등 여러 분야에서 활용되고 있지요. 또한 인공지능은 사람들에게 귀찮은 일이 생겼을 때나 할 일이 없어 심심할 때, 아플 때 등 일상생활에서 생기는 여러 가지 상황에서도 도움을 주고 불편한 점을 해결해 주는 '도우미' 역할을 한답니다.

인공지능은 학습을 어떻게 하나요?

인공지능의 학습 방법에는 '머신러닝과 딥러닝'이 있어요. '머신러닝'은 사람이 컴퓨터[로봇]에 학습할 데이터(내용)를 직접 입력하여 인공지능이 학습할 수 있게 하는 것을 말해요. '딥러닝'은 컴퓨터에 사람이 학습할 데이터를 직접 입력하지 않아도 인공지능이 스스로 학습을 수행하는 것을 말해요.

인공지능의 좋은 기능은 무엇인가요?

인공지능은 인간에게 많은 도움과 편리함을 주기 위해 만들어졌어요.

❶ 사람들이 가지고 있는 여러 가지 힘든 일을 대신하여 도와주어요.

❷ 일상생활을 편리하게 할 수 있게 도와주어요.

❸ 많은 자료를 자동으로 분석할 수 있기 때문에 사람들이 판단과 결정을 빠르게 할 수 있게 도와주어요.

이외에도 인공지능은 인간의 생활에 많은 도움을 주고 있어요. 하지만 인공지능에는 좋은 점만 있는 것은 아니예요.

❶ 옳은 것과 옳지 않은 것을 판단하는 기준과 가치가 사람과 달라 혼란이 생길 수도 있어요.

❷ 사람들이 나쁜 마음을 갖고 인공지능에게 나쁜 정보를 학습시키게 되면 인공지능이 사고를 일으킬 수도 있어요.

❸ 학습이 제대로 되지 않을 경우 작동을 잘못하거나 엉뚱한 결과를 내놓을 수도 있어요.

인공지능을 만들 때에는 사람들에게 어떠한 도움을 줄 수 있는지에 대해서 올바른 생각과 마음을 갖는 것이 중요합니다.

엔트리 인공지능에 대해 알아볼까요?

엔트리는 인공지능을 학습하고 쉽게 코딩할 수 있도록 다양한 콘텐츠를 제공해요. 엔트리 인공지능을 통해 입력한 단어를 번역하고, 카메라[웹캠]와 오디오를 통해 입력받은 정보를 이용하여 결과를 분석하고, 읽어주기도 하지요. 그리고 '인공지능 모델 학습하기'에서는 지도학습과 비지도 학습에 대해 이해하고, 학습할 수 있도록 다양한 학습 방법을 제공하고 있어요.

》 엔트리 알아보기

- 누구나 쉽고 재미있게 코딩을 배울 수 있도록 개발된 블록형 프로그래밍 언어예요.
- 레고 블록을 조립해서 작품을 만드는 것처럼 코딩 블록을 조립해서 프로그램을 만들 수 있어요.

▲ 레고 블록을 조립해서 만든 비행기

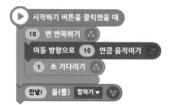

▲ 엔트리 블록을 조립해서 만든 프로그램

》 인공지능 블록 알아보기

이미지				
인공지능 기능 설명	**번역** 파파고를 이용하여 입력한 단어를 다른 언어로 번역할 수 있습니다.	**비디오 감지** 카메라를 이용하여 사람 (신체), 얼굴, 사물 등을 인식할 수 있습니다.	**오디오 감지** 마이크를 이용하여 소리와 음성을 감지할 수 있습니다.	**읽어주기** 입력한 문장을 다양한 목소리로 읽어줍니다.

》 코딩 알아보기

- 컴퓨터가 이해할 수 있는 언어인 인공지능 코드를 입력하여 컴퓨터[로봇]가 작동할 수 있게 프로그램을 만드는 것을 코딩(Coding)이라고 해요.
- 코드를 입력하여 프로그램을 만들기 때문에 코딩을 프로그래밍이라고도 해요.

▲ 컴퓨터는 사람의 말을 이해할 수 없어요.

▲ 컴퓨터[로봇]가 이해할 수 있는 언어로 코딩해요.

≫ 엔트리 **이용 방법 알아보기**

❶ 웹 브라우저 주소창에 'playentry.org'를 입력하거나, 포털 사이트에서 '엔트리'를 검색하여 엔트리에 접속합니다.

❷ [만들기] 탭에 마우스 포인트를 올리면 나타나는 메뉴에서 '작품 만들기'를 클릭하면 엔트리 코딩을 바로 시작할 수 있습니다.

❸ 엔트리 홈(**e n t r y**) 버튼에 마우스 포인트를 올리면 나타나는 [다운로드] 메뉴를 클릭한 후, 자신의 컴퓨터 운영체제에 맞는 프로그램을 '다운로드/설치'하여 이용할 수 있습니다. ('제어판-시스템 및 보안-시스템'에서 비트를 확인할 수 있음)

❹ 엔트리 설치 버튼(⬇)을 눌러 나타난 '엔트리 설치' 창에서 [다음]-[설치] 버튼을 클릭하면 오프라인 버전을 설치하여 이용할 수 있습니다.

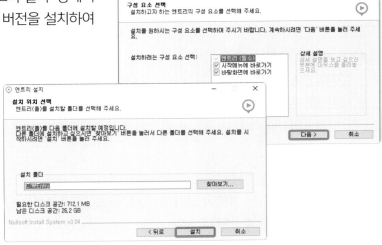

Tip. 온라인의 '작품 불러오기' 기능은 로그인을 해야 사용이 가능합니다.

엔트리 코딩 화면 알아보기

① **상단 메뉴** : 작품 이름, 모드 변경, 새로 만들기, 작품 저장, 도움말, 코드 프린트, 이전/다음, 기본형/교과서형, 계정, 언어 등을 관리할 수 있는 메뉴가 나열되어 있어요.

② **실행화면**
- [시작하기(▶시작하기)] 버튼을 누르면 실행이 되고, [정지하기(■정지하기)] 버튼을 누르면 멈추어요.
- 실행화면 안에 있는 모든 개체 이미지들을 오브젝트라고 해요. [오브젝트 추가하기(+오브젝트 추가하기)] 버튼을 눌러서 원하는 오브젝트를 추가할 수 있어요.
- 오른쪽 위의 확대하기( ) 버튼을 누르면 실행화면이 커지고, 축소하기( ) 버튼을 누르면 실행화면이 작아져요.

③ **오브젝트 목록**
- 실행화면에 어떤 오브젝트들이 있는지 보여 주고, 여러 가지 정보를 바꿀 수 있어요.
- 보임( ) 상태일 때 오브젝트가 나타나고, 안 보임( ) 상태일 때 오브젝트가 사라져요.
- 오브젝트의 이름이 표시되는 엔트리봇 칸을 더블 클릭하여 이름을 수정하거나 입력할 수 있어요.

④ **블록 꾸러미**
- 블록, 모양, 소리, 속성 탭으로 이루어져 있어요.
- 블록 탭에는 다양한 블록이 담겨 있어 여러 가지 프로그램을 만들 수 있어요. 모양과 소리 탭에서는 오브젝트의 모양과 소리를 추가할 수 있어요.
- 속성 탭에는 변수, 신호, 리스트, 함수를 추가할 수 있는 버튼이 있어요.

⑤ **블록 조립소** : 블록 꾸러미의 블록을 조립소로 끌어와 블록을 조립하며 코딩할 수 있어요.

⑥ **추가 버튼** : 코딩한 블록에 메모를 하거나 자주 사용하는 코딩 블록을 저장할 수 있어요.

⑦ **휴지통** : 블록을 휴지통으로 끌어다 놓으면 휴지통이 열리면서 블록이 삭제돼요.

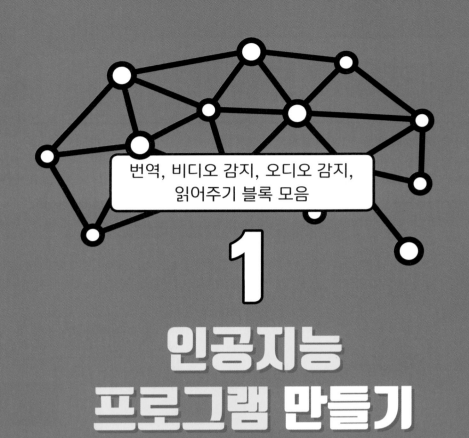

번역, 비디오 감지, 오디오 감지,
읽어주기 블록 모음

1

인공지능
프로그램 만들기

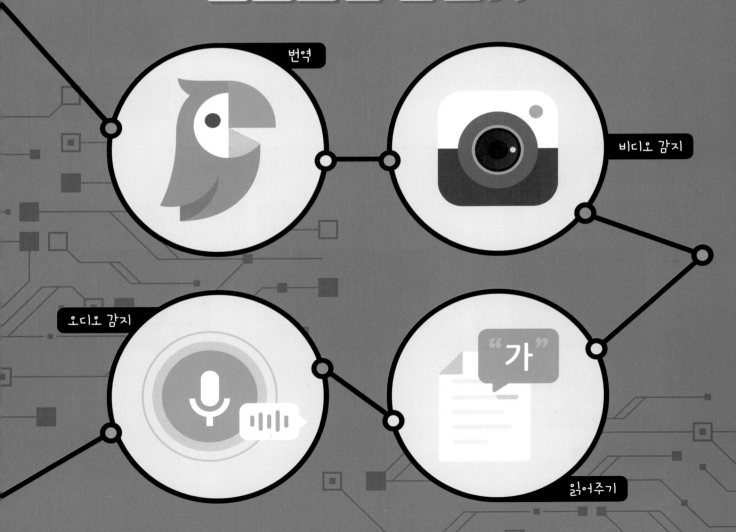

번역

비디오 감지

오디오 감지

"가"

읽어주기

01 AI 초대장 보내기

준비물   컴퓨터, 스피커

학습목표
- '투명도'를 이용해서 메시지 도착을 표현할 수 있습니다.
- '읽어주기' 기능을 이용하여 메시지 내용을 음성으로 재생할 수 있습니다.
- 신호를 보내 배경을 바꿀 수 있습니다.

실습파일 : 01 AI 초대장.ent   완성파일 : 01 AI 초대장(완성).ent

스마트폰을 통해 친구들과 메시지를 주고받아 본 경험이 있나요? 새 메시지가 도착하면 스마트폰에 알림이 울리는 것처럼 엔트리의 '읽어주기' 기능을 활용해 알림과 내용을 사람의 목소리로 알려 주는 'AI 초대장'을 만들어 봅니다.

새 메시지 도착 알림과 메시지 내용을 AI 음성으로 알려 줍니다.

활용 인공지능
읽어주기 : 메시지를 음성으로 재생합니다. 이때 음성은 다양한 형태로 바꿀 수 있습니다.

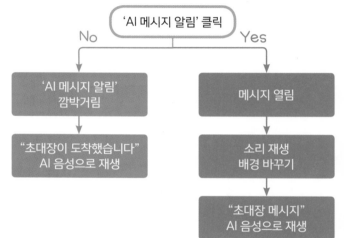

'AI 메시지 알림' 클릭

No
→ 'AI 메시지 알림' 깜박거림
→ "초대장이 도착했습니다" AI 음성으로 재생

Yes
→ 메시지 열림
→ 소리 재생 배경 바꾸기
→ "초대장 메시지" AI 음성으로 재생

★ '읽어주기' 기술 미리보기

시작하기 [▶] 버튼을 누르면 새 메시지 도착 모양을 음성과 함께 배경 화면에 표시합니다.

도착한 'AI 메시지 알림'을 클릭하면 메시지가 열립니다.

배경이 바뀌고, 음성으로 '초대장 메시지'를 읽어줍니다.

주요 블록 알아보기

메시지 열림 ▼ 모양으로 바꾸기	오브젝트를 선택한 모양으로 바꿉니다.
효과 모두 지우기	오브젝트에 적용된 효과를 모두 지웁니다.
2 초 기다리기	입력한 시간만큼 기다린 후 다음 블록을 실행합니다.

투명도 ▼ 효과를 0 (으)로 정하기	오브젝트의 효과를 입력한 값으로 정합니다.
자신의 다른 ▼ 코드 멈추기	현재 실행 중인 동작을 멈추는 블록입니다.
엔트리 읽어주기	입력한 문자값을 설정된 목소리로 읽습니다.
엔트리 읽어주고 기다리기	입력한 문자값을 읽어준 후 다음 블록을 실행합니다.

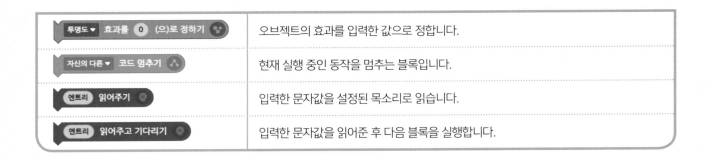

① 새 메시지 도착을 표현하기

▶▶ **AI 메시지 알림 : 새 메시지 도착을 표현하고, 음성으로 재생하기**

01 [블록] 탭의 [인공지능]에서 [인공지능 블록 불러오기]를 클릭합니다. 그리고 '인공지능 블록 불러오기' 창이 열리면 [읽어주기]를 선택한 후, [불러오기] 버튼을 클릭합니다.

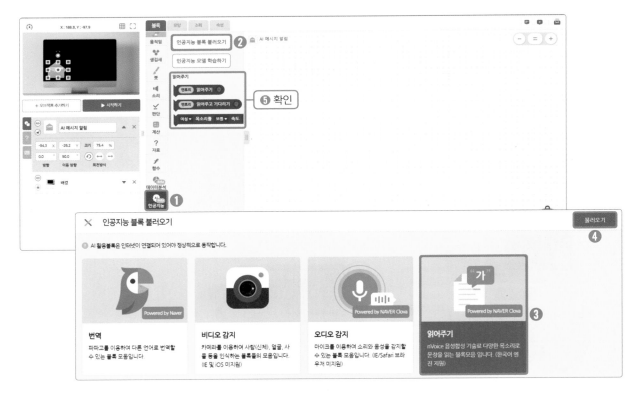

02 [시작]의 `시작하기 버튼을 클릭했을 때` 블록을 조립소로 드래그합니다. 그리고 [생김새]의 `○ 모양으로 바꾸기` 블록을 연결한 후, 목록 단추(▼)를 클릭하여 '메시지 닫힘'을 선택합니다.

03 이어서 [인공지능]의 O 읽어주기 블록을 드래그한 후 텍스트에 "초대장이 도착했습니다"를 입력합니다.

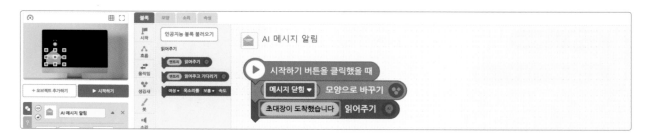

04 [흐름]의 계속 반복하기 블록을 연결합니다. [생김새]의 O 효과를 O (으로) 정하기 블록과 [흐름]의 O 초 기다리기 블록을 끼워 넣은 후, 목록 단추(▼)를 클릭하여 '투명도'를 선택합니다. 그리고 모양값에 '80'을, 시간값에 '0.5'를 입력합니다.

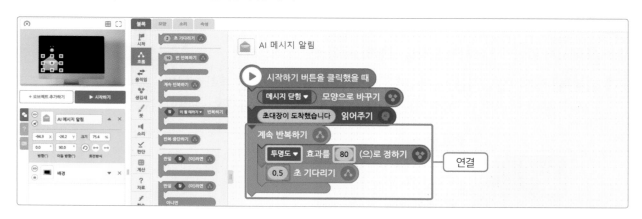

05 [생김새]의 O 효과를 O (으로) 정하기 블록과 [흐름]의 O초 기다리기 블록을 한 번 더 끼워 넣은 후, 목록 단추(▼)를 클릭하여 '투명도'를 선택합니다. 그리고 모양값에 '0'을, 시간값에 '0.5'를 입력합니다.

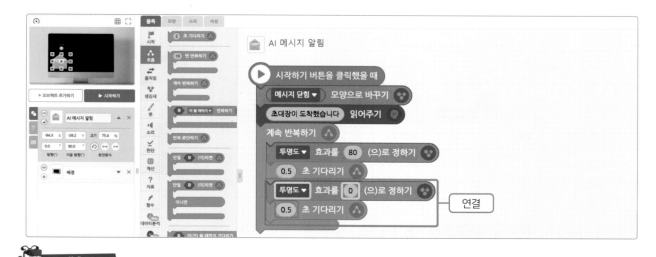

똑똑블록 TIP

투명도 블록은 '0'~'100'값으로 표현할 수 있습니다. 값이 '0'일 때에는 불투명도가 적용되지 않고, '100'일 때에는 불투명도가 최대로 적용되어 오브젝트가 사라집니다.

② 새 메시지 확인하기

▶️ **AI 메시지 알림 : 새 메시지를 클릭하면, 확인 알림 소리가 울린 다음 편지 메시지 내용 읽어주기**

01 [소리] 탭의 [소리 추가하기]를 클릭한 후, '소리 추가하기' 창이 열리면 [악기]의 '마림바_10시'를 선택하고 [추가하기] 버튼을 클릭합니다.

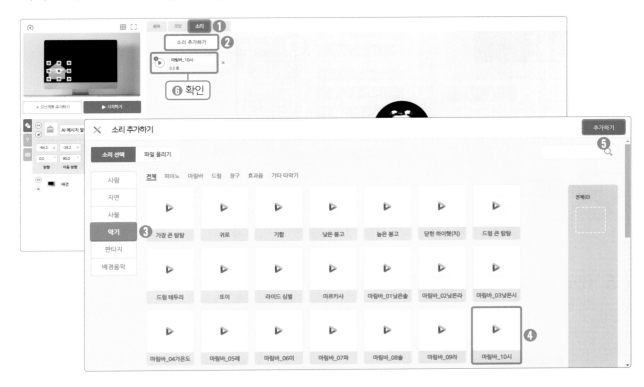

02 [시작]의 `오브젝트를 클릭했을 때` 블록을 드래그한 후 [흐름]의 `○ 코드 멈추기` 블록을 연결한 다음, 목록 단추(▼)를 클릭하여 '자신의 다른'을 선택합니다.

03 이어서 [생김새]의 `효과 모두 지우기` 블록과 `○ 모양으로 바꾸기` 블록을 연결한 다음, 목록 단추(▼)를 클릭하여 '메시지 열림'을 선택합니다.

04 알림 소리를 재생하기 위해 [소리]의 `소리 O 재생하기` 블록을 연결한 후, 목록 단추(▼)를 클릭하여 '마림바_10시'를 선택합니다.

05 배경을 변경하기 위해 [시작]의 `O 신호 보내기` 블록을 연결한 후, 목록 단추 (▼)를 클릭하여 '배경 변경'을 선택합니다.

똑똑블록 TIP

• [신호 보내기] 블록은 다른 오브젝트에 신호를 보낼 때 사용합니다.
• 신호는 [속성] 탭의 [신호]–[신호 추가하기]를 클릭하여 만들 수 있습니다.

06 [인공지능]의 `O 읽어주고 기다리기` 블록을 3개 연결한 후, 글자 입력 칸에 "내 생일에 너를 초대하고 싶어", " 재미있는 파티가 될 거야", "함께 즐거운 시간 보내자"를 각각 입력합니다.

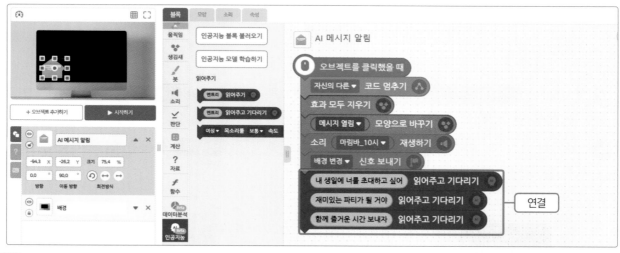

똑똑블록 TIP 명령 블록 알아보기

'배경' 오브젝트에 미리 작성되어 있는 코드를 확인해 봅니다.

'배경 변경' 신호를 받으면 '생일배경'으로 변경합니다.

프로그램이 시작되면 '꺼진배경'으로 변경합니다.

나는 똑똑한 AI 개발자

똑똑한 코딩 더하기

실습파일 : 01 AI 초대장_더하기.ent　　완성파일 : 01 AI 초대장_더하기(완성).ent

01 '초대장'이 도착하면 알림음이 재생되도록 코드를 추가해 봅니다. 그리고 알림음을 여러 가지 소리로 바꾸어 봅니다.

> **똑똑 해결 과정**　　AI 메시지 알림 : '초대장' 도착 → 소리 '병뚜껑 따는 소리' 재생하기

도움 명령 블록

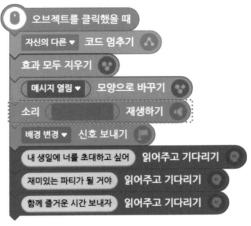

▲ AI 메시지 알림

더하기 HINT　[소리 ○ 재생하기] 블록을 사용하면 어떠한 결과가 나타날지를 떠올려 미션을 해결하세요.

똑똑한 코딩 디버깅

실습파일 : 01 AI 초대장_디버깅.ent　　완성파일 : 01 AI 초대장_디버깅(완성).ent

02 'AI 메시지 알림'을 클릭해도 컴퓨터에 생일 배경화면이 나타나지 않는 오류가 발생했습니다. 코드의 오류를 찾아 바르게 나타나도록 수정해 봅니다.

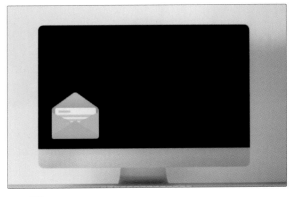 

디버깅 HINT　'배경' 오브젝트 수정

02 AI 받아쓰기 학습 도우미

학습 목표
- '기다리기' 블록을 이용해서 받아쓸 수 있는 시간을 추가할 수 있습니다.
- '글상자'를 이용해서 문제의 순서를 나타낼 수 있습니다.
- '읽어주기' 기능을 이용하여 받아쓰기 내용을 음성으로 재생할 수 있습니다.

실습파일 : 02 AI 학습 도우미.ent　　　**완성파일** : 02 AI 학습 도우미(완성).ent

인공지능 만들기

여러분은 받아쓰기를 해 본 경험이 있나요? 이번 시간에는 선생님께서 받아쓰기 문제를 불러주시는 것처럼 AI 음성이 엔트리의 '읽어주기' 기능을 활용해 받아쓰기 문제를 내주는 프로그램을 만들어 봅니다.

프로그램이 시작되면 받아쓰기 문제의 내용을 AI 음성으로 읽어줍니다.

활용 인공지능

읽어주기 : 메시지를 음성으로 재생합니다. 이때 음성은 다양한 형태로 바꿀 수 있습니다.

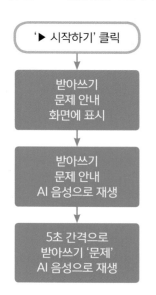

'▶ 시작하기' 클릭

받아쓰기 문제 안내 화면에 표시

받아쓰기 문제 안내 AI 음성으로 재생

5초 간격으로 받아쓰기 '문제' AI 음성으로 재생

● '읽어주기' 기술 미리보기

[▶] 버튼을 눌러 코드를 실행하면 총 문제의 개수를 알려 줍니다.

받아쓰기의 시작을 음성으로 알려줍니다.

'5'초 간격으로 받아쓰기 내용을 음성으로 읽어줍니다.

● 주요 블록 알아보기

엔트리 라고 글쓰기 가	글상자의 내용을 입력한 값으로 고쳐 씁니다.
엔트리 읽어주고 기다리기	입력한 문자값을 읽어준 후, 다음 블록을 실행합니다.
2 초 기다리기	입력한 시간만큼 기다린 후, 다음 블록을 실행합니다.

 **① 받아쓰기 문제 개수 알려 주기**

▶▶ **AI 학습 도우미 : 받아쓰기 문제 개수를 텍스트로 화면에 나타내고 동시에 음성으로 재생하기**

01 [블록]의 [인공지능]에서 [인공지능 블록 불러오기]를 클릭합니다. '인공지능 블록 불러오기' 창이 열리면 [읽어주기]를 선택한 후, [불러오기] 버튼을 클릭합니다.

02 [시작]의 `시작하기 버튼을 클릭했을 때` 블록과 [글상자]의 `〇 라고 글쓰기` 블록을 연결합니다. 이어서 [인공지능]의 `〇 읽어주고 기다리기` 블록을 드래그한 후 텍스트에 "음성을 듣고"를 입력합니다.

03 **02**와 같은 방법으로 블록을 드래그한 후, 다음과 같이 텍스트를 입력합니다.

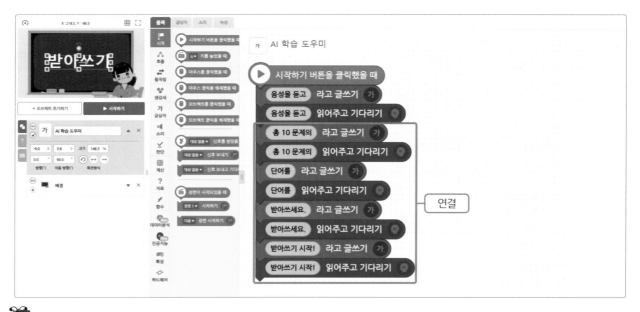

똑똑블록 TIP 입력할 단어 확인하기 〜〜〜〜〜〜〜〜〜〜〜〜〜〜〜〜

음성을 듣고 총 10 문제의 단어를 받아쓰세요. 받아쓰기 시작!

② 받아쓰기 문제 재생하기

▶▶ AI 학습 도우미 : 받아쓰기 문제를 음성으로 재생하기

01 [인공지능]의 〔○ 읽어주고 기다리기〕 블록과 [흐름]의 〔○ 초 기다리기〕 블록을 드래그한 후 텍스트에 "비 오는 날"을 시간값에 '5'를 입력합니다.

02 **01**과 같은 방법으로 블록을 드래그한 후, 다음과 같이 텍스트와 시간값을 입력합니다.

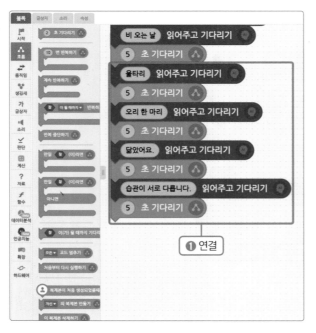

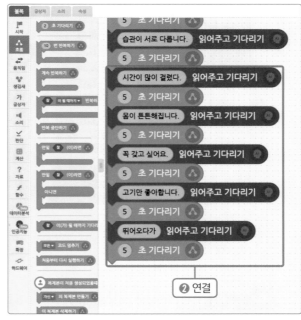

나는 똑똑한 AI 개발자

똑똑한 코딩 더하기 실습파일 : 02 AI 학습 도우미_더하기.ent 완성파일 : 02 AI 학습 도우미_더하기(완성).ent

01 AI 음성이 받아쓰기 문제를 재생할 때, 문제 순서가 칠판 화면에 '문제 1' … '문제 10'과 같이 글자로 나타나도록 코드를 추가해 봅니다.

> **똑똑 해결 과정** AI 학습 도우미 : 문제 순서 나타남 → 받아쓰기 문제 음성 재생

도움 명령 블록

▲ AI 학습 도우미

더하기 HINT [○ 라고 글쓰기] 블록을 사용했을 때 어떠한 결과가 실행되었는지를 떠올려 미션을 해결하세요.

똑똑한 코딩 디버깅 실습파일 : 02 AI 학습 도우미_디버깅.ent 완성파일 : 02 AI 학습 도우미_디버깅(완성).ent

02 받아쓰기 문제가 너무 빨리 재생되어 사용자가 받아 쓸 시간이 부족한 오류가 발생했습니다. 코드의 오류를 찾아 받아쓰기를 할 수 있도록 수정해 봅니다.

 '개 학습 도우미' 오브젝트 수정

준비물　컴퓨터, 스피커

03 AI 기상 캐스터

- '확장 블록'을 이용해서 실제 날씨를 나타낼 수 있습니다.
- '확장 블록'을 이용해서 실제 미세먼지 농도를 나타낼 수 있습니다.
- '읽어주기' 기능으로 미세먼지 농도와 날씨를 음성으로 재생할 수 있습니다.

실습파일 : 03 AI 기상 캐스터.ent　　완성파일 : 03 AI 기상 캐스터(완성).ent

 인공지능 만들기

TV에서 날씨와 미세먼지 농도를 안내하는 방송을 본 적이 있나요? 기상 캐스터가 날씨 안내 방송을 하는 것처럼 엔트리의 '읽어주기' 기능을 활용해 인공지능 음성으로 날씨와 미세먼지 농도를 읽어주는 프로그램을 만들어 봅니다.

버튼을 누르면 기온과 미세먼지 농도, 날씨를 AI 음성으로 읽어주고, 그림으로도 나타냅니다.

활용 인공지능

읽어주기 : 메시지를 음성으로 재생합니다. 이때 음성은 다양한 형태로 바꿀 수 있습니다.

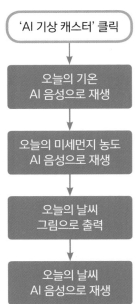

'AI 기상 캐스터' 클릭

↓

오늘의 기온
AI 음성으로 재생

↓

오늘의 미세먼지 농도
AI 음성으로 재생

↓

오늘의 날씨
그림으로 출력

↓

오늘의 날씨
AI 음성으로 재생

● '읽어주기' 기술 미리보기

[▶] 버튼을 누르면 프로그램이 실행됩니다.

'AI 기상 캐스터' 버튼을 클릭하면 오늘의 기온과 미세먼지 농도를 음성으로 읽어줍니다.

'날씨 표시' 신호를 받으면 날씨를 음성으로 읽어주고, 화면에 그림으로 나타냅니다.

● 주요 블록 알아보기

만일 판단이 '참'이라면, 감싸고 있는 블록을 실행합니다.

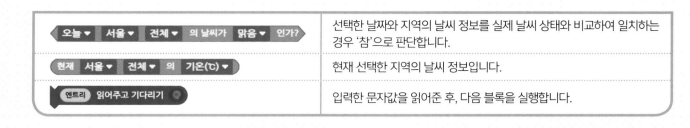

〈 오늘 ▼ 〉 서울 ▼ 전체 ▼ 의 날씨가 맑음 ▼ 인가?	선택한 날짜와 지역의 날씨 정보를 실제 날씨 상태와 비교하여 일치하는 경우 '참'으로 판단합니다.
현재 서울 ▼ 전체 ▼ 의 기온(℃) ▼	현재 선택한 지역의 날씨 정보입니다.
엔트리 읽어주고 기다리기	입력한 문자값을 읽어준 후, 다음 블록을 실행합니다.

 **기온 알려 주기**

▶ **AI 기상 캐스터 : 기온을 음성으로 재생하기**

01 버튼 모양이 화면에 나타나도록 [시작]의 시작하기 버튼을 클릭했을 때 블록과 [생김새]의 모양 보이기 블록을 드래그하여 연결합니다.

02 [시작]의 오브젝트를 클릭했을 때 블록을 드래그한 후 [인공지능]의 ○ 읽어주고 기다리기 블록을 연결하고 "오늘의 기온은"을 입력합니다.

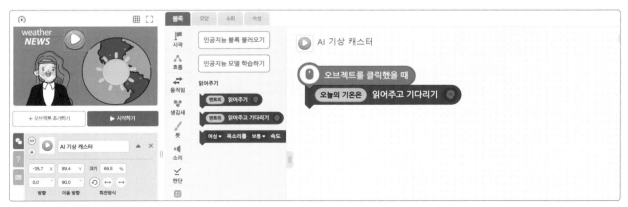

똑똑블록 TIP

인공지능 블록은 [인공지능]의 [인공지능 블록 불러오기] 버튼을 클릭하여 추가할 수 있습니다.

03 [인공지능]의 ◯ 읽어주고 기다리기 블록을 드래그한 후 [확장]의 현재 ◯ ◯의 ◯ 블록을 텍스트에 끼워 넣고, 목록 단추(▼)를 클릭하여 '서울', '전체', '기온'을 선택합니다.

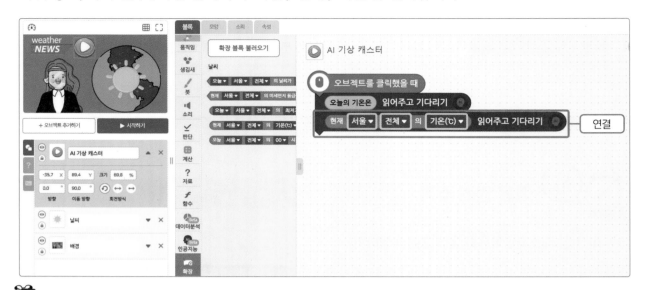

🤖 **똑똑블록 TIP**

'날씨' 블록을 사용하려면 먼저, [확장]의 [확장 블록 불러오기] 버튼을 클릭하여 '확장 블록 불러오기' 창을 엽니다. 그리고 [날씨]를 선택한 후 [추가] 버튼을 클릭하여 블록을 추가합니다.

04 [인공지능]의 ◯ 읽어주고 기다리기 블록을 드래그한 후, 텍스트에 "입니다."를 입력합니다.

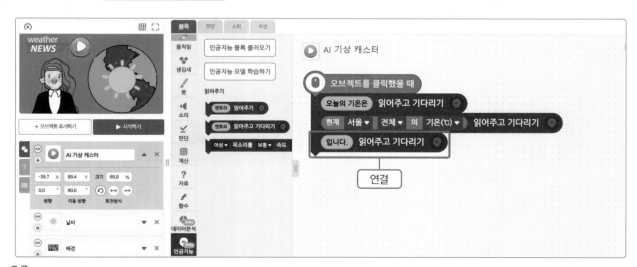

🤖 **똑똑블록 TIP**

'날씨' 블록은 각 지역을 나누어 날씨와 미세먼지 농도를 확인할 수 있게 합니다.

② 미세먼지 농도 알려 주기

AI 기상 캐스터 : 미세먼지 농도를 음성으로 재생하기

01 [인공지능]의 `O 읽어주고 기다리기` 블록을 드래그한 후 텍스트에 "오늘의 미세먼지 농도는"을 입력합니다.

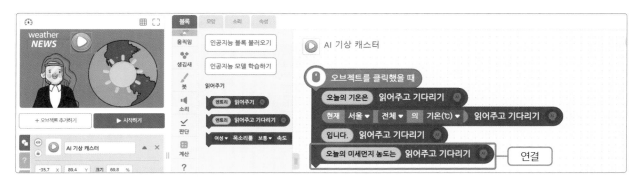

02 [인공지능]의 `O 읽어주고 기다리기` 블록을 드래그합니다. 그리고 [확장]의 `현재 O O의 O` 블록을 텍스트에 끼워 넣고, 목록 단추(▼)를 클릭하여 '서울', '전체', '미세먼지농도'를 선택합니다.

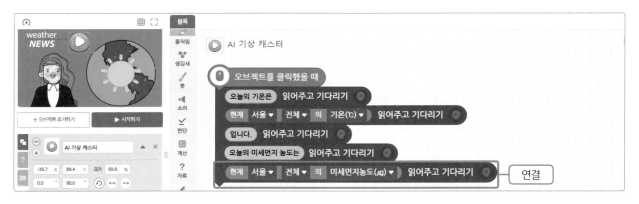

03 [인공지능]의 `O 읽어주고 기다리기` 블록과 [시작]의 `O 신호 보내기` 블록을 드래그하여 연결한 후, 텍스트에 "입니다."를 입력합니다. 그리고 목록 단추(▼)를 클릭하여 '날씨 표시'를 선택합니다.

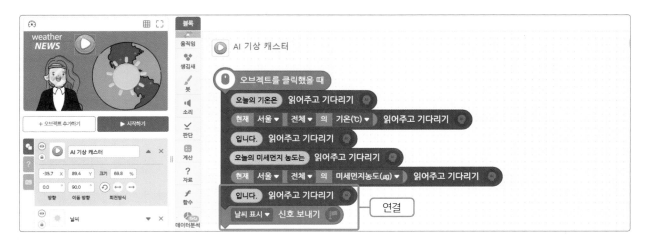

 **똑똑블록 TIP** 명령 블록 알아보기

'날씨' 오브젝트에 미리 작성되어 있는 코드를 확인해 봅니다.

 '날씨 표시' 신호를 받기 전에는 날씨 오브젝트를 숨겨 놓습니다.

 '날씨 표시' 신호를 받으면 오늘의 서울 전체 날씨를 확인하여 오늘의 날씨를 오브젝트로 알려 준 다음, 음성으로 읽어줍니다.

나는 똑똑한 AI 개발자

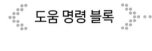 실습파일 : 03 AI 기상 캐스터_더하기.ent   완성파일 : 03 AI 기상 캐스터_더하기(완성).ent

01 날씨를 음성으로 읽어 줄 때에는 'AI 기상 캐스터' 버튼이 사라지도록 코드를 추가해 봅니다.

> **똑똑 해결 과정**   AI 기상 캐스터 : 'AI 기상 캐스터' 버튼 클릭 → 'AI 기상 캐스터' 모양 숨기기

도움 명령 블록

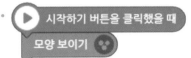

▲ AI 기상 캐스터

▲ 날씨

더하기 HINT [모양 숨기기], [모양 보이기] 블록을 사용했을 때 어떠한 결과가 실행되었는지를 떠올려 미션을 해결하세요.

 실습파일 : 03 AI 기상 캐스터_디버깅.ent   완성파일 : 03 AI 기상 캐스터_디버깅(완성).ent

02 오늘의 날씨 안내 음성과 화면에 나타난 '날씨' 오브젝트의 모양이 불일치되는 오류가 발생했습니다. 코드의 오류를 찾아 날씨 안내 음성과 '날씨' 모양이 일치하도록 수정해 봅니다.

디버깅 HINT '날씨' 오브젝트 수정

04 동화책 읽어주는 AI

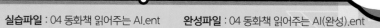

학습목표
- 외계인이 대화하는 형식으로 음성을 재생할 수 있습니다.
- 외계인의 음성을 일정한 시간 간격으로 재생할 수 있습니다.
- '읽어주기' 기능으로 외계인의 음성을 변조할 수 있습니다.

실습파일 : 04 동화책 읽어주는 AI.ent   **완성파일** : 04 동화책 읽어주는 AI(완성).ent

인공지능 만들기

여러분, 혹시 유튜브에서 '동화를 읽어주는 동영상'을 본 적이 있나요? 이미지 파일에 음성 파일을 더해 만든 콘텐츠인데요. 이번 시간에는 엔트리의 '읽어주기' 기능을 활용해 인공지능 음성으로 동화를 읽어주는 프로그램을 만들어 봅니다.

프로그램이 시작되면 두 명의 외계인이 나타나 AI 음성으로 자기소개를 합니다.

활용 인공지능
읽어주기 : 메시지를 음성으로 재생합니다. 이때 음성은 다양한 형태로 바꿀 수 있습니다.

```
'▶ 시작하기' 클릭
        │
        ▼
  천둥 소리 재생
  '우주선' 날아오기
        │
   ┌────┴────┐
   ▼         ▼
'외계인2' 좌우로 흔들림    외계인1, 2 나타남
'외계인1' 색상 바뀜       AI 음성으로 "자기소개" 재생
```

● '읽어주기' 기술 미리보기

[▶] 버튼을 눌러 코드를 실행하면 천둥 소리와 함께 우주선이 날아옵니다.

'외계인1'은 색깔을 일정하게 바꾸는 모습을 나타내고, '외계인2'는 좌우로 흔들리는 모습을 나타냅니다.

우주선 앞에 두 명의 외계인이 나타나서 음성으로 자기소개를 합니다.

● 주요 블록 알아보기

소리 천둥 ▼ 재생하기	해당 오브젝트가 선택한 소리를 재생하는 동시에 다음 블록을 실행합니다.
y 좌표를 10 만큼 바꾸기	오브젝트의 y 좌표를 입력한 값만큼 바꿉니다.
엔트리 읽어주고 기다리기	입력한 문자값을 읽어준 후, 다음 블록을 실행합니다.

여성 ▼ 목소리를 보통 ▼ 속도 보통 ▼ 음높이로 설정하기	선택한 목소리가 선택한 속도와 음높이로 설정됩니다.
색깔 ▼ 효과를 10 만큼 주기	오브젝트의 색깔을 입력한 값으로 변경합니다.
효과 모두 지우기	오브젝트에 적용된 효과를 모두 지웁니다.

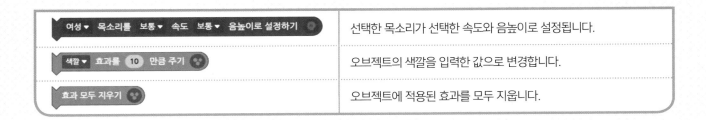

외계인 목소리 변경하기 1

▶▶ 외계인1 : 선택한 '목소리', '속도', '음높이'로 AI 음성 변경하기

01 '외계인1'의 목소리를 변경하기 위해 [시작]의 ⬤ 신호를 받았을 때 블록과 [생김새]의 모양 보이기 블록, [인공지능]의 ⬤ 목소리를 ⬤ 속도 ⬤ 음높이로 설정하기 블록을 드래그하여 연결합니다. 목록 단추(▼)를 클릭하여 신호는 '외계인 나타남', 음성은 '장난스러운', '보통', '높은'을 선택합니다.

02 '외계인1'이 음성으로 자기소개를 할 수 있도록 [흐름]의 ⬤ 초 기다리기 블록과 [인공지능]의 ⬤ 읽어주고 기다리기 블록을 드래그하여 연결합니다. 그리고 시간값에 '1', '3'을 입력하고, 읽기 입력 칸에 "삐리삐까 안녕!", "우리는 지구를 관광하며 여러 생명체들과 인사하고 싶다삐리삐까."를 입력합니다.

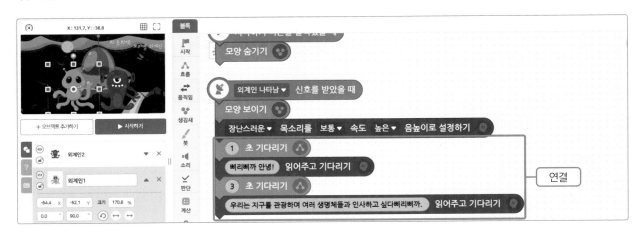

② 외계인 목소리 변경하기 2

▶▶ **외계인 2 : 선택한 목소리와 속도, 음높이로 AI 음성 변경하기**

01 '외계인2'의 목소리도 변경하기 위해 [시작]의 ○ 신호를 받았을 때 블록과 [생김새]의 모양 보이기 블록, [인공지능]의 ○ 목소리를 ○ 속도 ○ 음높이로 설정하기 블록을 드래그하여 연결합니다. 목록 단추(▼)를 클릭하여 신호는'외계인 나타남', 음성은 '앙증맞은', '빠른', '매우 낮은'을 선택합니다.

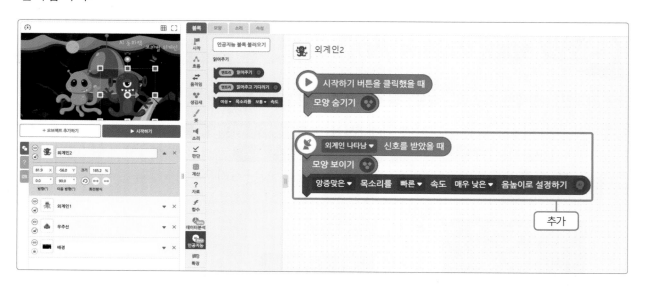

02 '외계인2'도 음성으로 자기소개를 할 수 있도록 [흐름]의 ○ 초 기다리기 블록과 [인공지능]의 ○ 읽어주고 기다리기 블록을 드래그하여 연결합니다. 그리고 시간값에 '3'을 입력하고, 읽기 입력 칸에 "우리는 보라별에서 온 외계인이야."를 입력합니다.

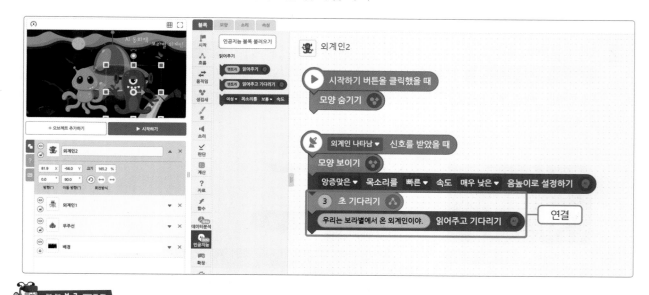

똑똑블록 **TIP**

[흐름]의 ○ 초 기다리기 블록은 상대가 말하는 시간 동안 기다리게 하여 '외계인1'과 '외계인2'가 서로 번갈아서 이야기할 수 있게 합니다. 이때 기다리는 시간은 직접 입력하여 조정할 수 있습니다.

01 '우주선' 오브젝트에 미리 작성되어 있는 코드를 확인해 봅니다.

❶ [▶] 버튼을 눌러 코드를 실행하면 '우주선' 오브젝트의 크기가 작아진 후, 위쪽 화면 밖으로 이동합니다.

❷ 천둥소리가 울리고 '우주선'이 '30'번 반복하여 아래쪽으로 이동하며 크기가 커집니다.

❸ '1'초 후 '외계인 나타남' 신호를 보내 외계인1,2가 나타나도록 합니다.

02 '외계인1' 오브젝트에 미리 작성되어 있는 코드를 확인해 봅니다.

❶ '외계인 나타남' 신호를 받으면 '외계인1'의 색깔이 '0.1'초 간격으로 바뀝니다.

❷ '0.1'초 간격으로 색깔 효과를 지웁니다.

03 '외계인2' 오브젝트에 미리 작성되어 있는 코드를 확인해 봅니다.

'외계인 나타남' 신호를 받으면 '외계인2'가 '0.1'초 간격으로 좌우로 회전합니다.

04 '외계인1, 외계인2' 오브젝트에 공통으로 작성되어 있는 코드를 확인해 봅니다.

[▶] 버튼을 눌러 코드를 실행하면 '외계인1, 외계인2' 오브젝트가 모양을 숨겨 화면에 나타나지 않습니다.

 인공지능   AI가 읽어주면 좋겠다고 생각하는 동화책이 있나요?

◎ 글자를 읽고 음성으로 나타내는 로봇이 있다면 어떨까요? 우리가 읽고 싶은 동화책을 골라 로봇에게 읽어달라고 부탁할 수 있겠지요?

· 로봇에게 읽어 달라고 부탁하고 싶은 책이 있다면 다음 빈칸에 써 보세요.

· 만약, 여러분이 책을 읽어주는 로봇을 만든다면 어떠한 기능을 하는 인공지능을 만들고 싶은가요? 다음 빈칸에 써 보세요.

MISSION   나는 똑똑한 AI 개발자

01 '외계인2'의 음성("우리는 보라별에서 온 외계인이야.")이 말풍선과 함께 실행되도록 코드를 추가해 봅니다.

똑똑 해결 과정	외계인2 : 외계인 나타남 신호 → 말하기 블록 추가

도움 명령 블록 ·····

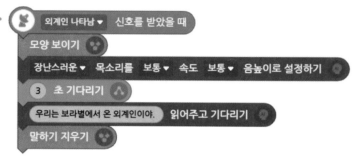

▲ 외계인2

> **더하기 HINT** 2장에서 배운 글자를 화면에 나타내 주는 [○ 라고 글쓰기] 블록을 떠올려 보세요. 이와 비슷한 기능을 하는 [○ 말하기] 블록은 말풍선을 이용해 글자를 화면에 나타내 줍니다.

02 두 외계인이 서로 기다리지 않고 함께 말해 무슨 말인지 알아들을 수가 없는 오류가 발생했습니다. 코드의 오류를 찾아 음성이 각각 재생되도록 수정해 봅니다.

> **디버깅 HINT** '외계인1', '외계인2' 오브젝트 수정

05 AI 게임 - 냠냠 샌드위치

준비물 　컴퓨터, 스피커

학습 목표
- 키보드의 방향키를 이용하여 오브젝트가 위아래로 이동할 수 있습니다.
- '읽어주기' 기능으로 배고픈 AI의 음성을 변조할 수 있습니다.
- '닿았는가' 조건에 의해 음성을 재생할 수 있습니다.

실습파일 : 05 AI 게임.ent　　**완성파일** : 05 AI 게임(완성).ent

인공지능 만들기

게임을 하다보면 다양한 효과음이 나타나는데요. 여러분은 혹시 게임 속 캐릭터가 말하는 소리를 들어 본 적이 있나요? 게임 속에서 캐릭터가 말하듯이 엔트리의 '읽어주기 기능'을 활용해 '배고픈 AI'가 음성으로 배고픔을 표현하도록 만들어 봅니다.

음식 : 프로그램이 시작되면 오른쪽에서 왼쪽으로 지나갑니다.

활용 인공지능

읽어주기 : 메시지를 음성으로 재생합니다. 목소리를 다양하게 변경할 수 있습니다.

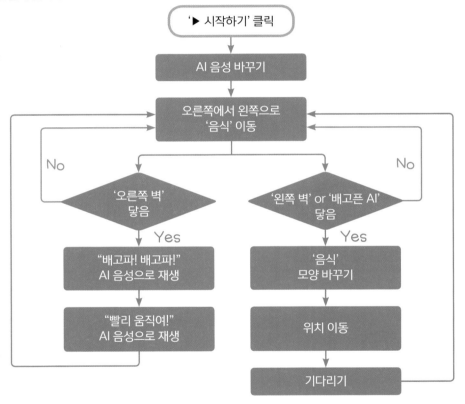

배고픈 AI : 음식이 나타나면 배고픔을 음성으로 재생하고, 음식을 먹거나 음식이 지나가면 다음 음식이 다시 나타납니다.

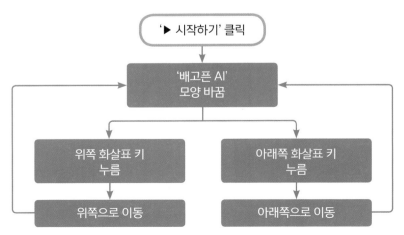

🔴 '읽어주기' 기술 미리보기

[▶] 버튼을 눌러 코드를 실행하면 '음식'이 오른쪽에서 왼쪽으로 이동하고, '배고픈 AI'가 음성으로 배고픔을 표현합니다.

키보드에서 위쪽, 아래쪽 방향키를 누르면 '배고픈 AI'가 위아래로 이동합니다.

'음식'이 '왼쪽 벽'이나 '배고픈 AI'에 닿으면 다음 '음식'이 나타납니다.

🔴 주요 블록 알아보기

x 좌표를 10 만큼 바꾸기	오브젝트의 X 좌표를 입력한 값만큼 바꿉니다. (왼쪽 또는 오른쪽으로 이동함)
y 좌표를 10 만큼 바꾸기	오브젝트의 Y좌표를 입력한 값만큼 바꿉니다. (위쪽 또는 아래쪽으로 이동함)
x: 0 y: 0 위치로 이동하기	오브젝트가 입력한 X와 Y좌표로 이동합니다. (위치를 지정할 수 있음)
쿠키 ▼ 모양으로 바꾸기	오브젝트를 선택한 모양으로 바꿉니다.
마우스포인터 ▼ 에 닿았는가?	해당 오브젝트가 선택한 항목과 닿은 경우 '참'으로 판단합니다.
참 또는 ▼ 거짓	두 판단 중 하나라도 '참'이 있는 경우 '참'으로 판단합니다.
참 이(가) 될 때까지 기다리기	판단이 '참'이 될 때까지 실행을 멈추고 기다립니다.
q ▼ 키를 눌렀을 때	선택한 키를 누르면 아래에 연결된 블록들을 실행합니다.
여성 ▼ 목소리를 보통 ▼ 속도 보통 ▼ 음높이로 설정하기	선택한 목소리가 선택한 속도와 선택한 음높이로 설정됩니다.
엔트리 읽어주고 기다리기	입력한 문자값을 읽어준 후, 다음 블록을 실행합니다.

 ① **배고픔 표현하기**

➤ **음식 : 선택한 목소리와 속도, 음높이로 AI 음성을 바꾸고, 배고픔 표현하기**

01 음식이 말할 때 목소리를 바꾸기 위해 [시작]의 `시작하기 버튼을 클릭했을 때` 블록과 [인공지능]의 `O 목소리를 O 속도 O 음높이로 설정하기` 블록을 드래그하여 연결합니다. 이어서 목록 단추(▼)를 클릭하여 '앙증맞은', '보통', '낮은'을 선택합니다.

`O 목소리를 O 속도 O 음높이로 설정하기` 블록에서 속도와 음높이만 조절해도 다른 음성처럼 들리기 때문에 음성을 다른 스타일로 바꾸기는 쉽습니다.

02 오른쪽 벽에 닿았는지 판단하기 위해 [흐름]의 `계속 반복하기` 블록과 `O 이(가) 될 때까지 기다리기` 블록을 연결한 후 [판단]의 `O 에 닿았는가?` 블록을 끼워 넣습니다. 그리고 목록 단추(▼)를 클릭하여 오른쪽 벽을 선택합니다.

`O 이(가) 될 때까지 기다리기` 블록은 판단이 '참'이 될 때까지 이후 명령을 실행하지 않습니다.

03 음성을 재생하기 위해 [인공지능]의 `O 읽어주고 기다리기` 블록을 두 번 연결한 후, 텍스트에 각각 "배고파! 배고파!"와 "빨리 움직여!"를 입력합니다.

② '배고픈 AI' 이동하기

▶▷ **배고픈 AI : 모양을 바꾸면서 키보드로 화면의 위쪽 또는 아래쪽으로 이동시키기**

01 '배고픈 AI'의 모습을 변경하기 위해 [시작]의 `시작하기 버튼을 클릭했을 때` 블록과 [흐름]의 `계속 반복하기`, `O 초 기다리기` 블록을 연결한 후 값에 '0.1'을 입력합니다.

02 이어서 [생김새]의 `'다음' 모양으로 바꾸기` 블록을 연결합니다.

03 위쪽 방향키로 '배고픈 AI'를 이동시키기 위해 [시작]의 `O 키를 눌렀을 때` 블록과 [움직임]의 `y 좌표를 O 만큼 바꾸기` 블록을 연결한 후, 목록 단추(▼)를 클릭하여 '위쪽 화살표'를 선택하고, 값에 '5'를 입력합니다.

04 아래쪽 방향키로 '배고픈 AI'를 이동시키기 위해 [시작]의 `O 키를 눌렀을 때` 블록과 [움직임]의 `y 좌표를 O 만큼 바꾸기` 블록을 연결한 후, 목록 단추(▼)를 클릭하여 '아래쪽 화살표'를 선택하고, 값에 '-5'를 입력합니다.

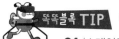

01 '스케이트보드' 오브젝트에 미리 작성되어 있는 코드를 확인해 봅니다.

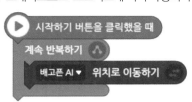

[▶] 버튼을 눌러 코드를 실행하면 '스케이드보드' 오브젝트가 '배고픈 AI' 오브젝트를 따라 이동합니다.

02 '음식' 오브젝트에 미리 작성되어 있는 코드를 확인해 봅니다.

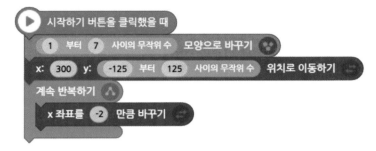

[▶] 버튼을 눌러 코드를 실행하면 '음식' 오브젝트의 모양이 랜덤으로 변경되고, 오른쪽의 랜덤의 위치에서 나타나 왼쪽으로 이동합니다.

[▶] 버튼을 눌러 코드를 실행하면 '음식' 오브젝트가 '배고픈 AI'나 왼쪽 벽에 닿으면 모양을 랜덤으로 변경한 후 오른쪽에서 랜덤의 위치로 이동하고, 랜덤의 시간을 기다립니다.

MISSION 나는 똑똑한 AI 개발자

똑똑한 코딩 더하기

실습파일 : 05 AI 게임_더하기.ent   완성파일 : 05 AI 게임_더하기(완성).ent

01 '배고픈 AI'가 '음식'을 먹으면 "냠냠"이라는 음성을 재생하도록 코드를 추가해 봅니다.

똑똑 해결 과정	• 배고픈 AI : '음식'에 닿기 → "냠냠" 재생하기 • 음식 : '배고픈 AI'에 닿기 → [O초 기다리기]

도움 명령 블록

> ▶ 시작하기 버튼을 클릭했을 때
>
> 앙증맞은▼ 목소리를 보통▼ 속도 낮은▼ 음높이로 설정하기
>
> 계속 반복하기
>
> 　오른쪽 벽 　에 닿았는가? 이(가) 될 때까지 기다리기
>
> 　배고파! 배고파! 읽어주고 기다리기
>
> 　빨리 움직여! 읽어주고 기다리기

▲ 음식

 더하기 HINT
• '배고픈 AI'가 '음식'에 닿았을 때 [O 읽어주고 기다리기] 블록을 이용해 "냠냠" 소리를 재생시킵니다.
• '음식'이 '배고픈 AI'에 닿았을 때 바로 이동하면 닿는 것을 판단할 수 없으므로 [O 초 기다리기] 블록을 사용합니다.

똑똑한 코딩 디버깅

실습파일 : 05 AI 게임_디버깅.ent   완성파일 : 05 AI 게임_디버깅(완료).ent

02 '음식'이 오른쪽에서 나타날 때 재생된 음성인 "배고파! 배고파!", "빨리 움직여!" 소리가 들리지 않는 오류가 발생했습니다. 코드의 오류를 찾아 음성이 들리도록 수정해 봅니다.

디버깅 HINT '음식' 오브젝트 수정

06 AI 소음 측정기

준비물　컴퓨터, 마이크

학습목표
- 음성을 인식하여 소음을 측정할 수 있습니다.
- 마이크 소리 크기에 따라 AI의 표정을 바꿀 수 있습니다.

실습파일 : 06 소음 측정 AI.ent　　완성파일 : 06 소음 측정 AI(완성).ent

인공지능 만들기

마이크가 달려 있는 소음 측정기를 본 적이 있나요? 소음 측정기는 소리 크기를 측정하여 얼마나 큰 소리인지, 작은 소리인지를 나타내 주는 기계 장치이지요. 엔트리의 '오디오 감지' 기능을 이용하면 소리 크기를 측정할 수 있어요. 이번 시간에는 소리 크기에 따라 'AI의 표정'이 바뀌는 소음 측정 프로그램을 만들어 봅니다.

오디오 감지로 소음을 측정하여 AI 표정을 바꾸고, 측정값에 따라 다른 기분을 텍스트로 출력합니다.

활용 인공지능
오디오 감지 : 마이크를 통해 소리 크기와 음성을 감지합니다.

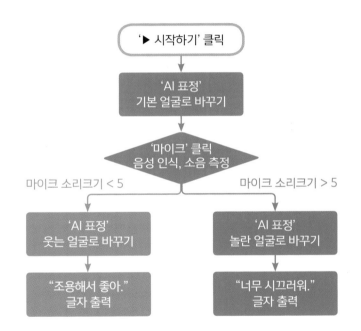

'▶ 시작하기' 클릭

'AI 표정' 기본 얼굴로 바꾸기

'마이크' 클릭 음성 인식, 소음 측정

마이크 소리크기 < 5

마이크 소리크기 > 5

'AI 표정' 웃는 얼굴로 바꾸기

'AI 표정' 놀란 얼굴로 바꾸기

"조용해서 좋아." 글자 출력

"너무 시끄러워." 글자 출력

● '오디오 감지' 기술 미리보기

[▶] 버튼을 눌러 코드를 실행하면 'AI 표정'이 기본 얼굴로 보입니다.

'마이크'를 눌러 음성을 인식합니다.

마이크 소리 크기에 따라 'AI 표정'이 웃는 얼굴과 놀란 얼굴로 변경되고, 이에 따른 기분이 텍스트로 출력됩니다.

주요 블록 알아보기

음성 인식하기	마이크 소리크기	10 < 10
마이크에 입력된 사람의 목소리를 텍스트로 변환합니다.	마이크에 입력된 소리의 크기 값입니다.	입력한 두 값을 비교합니다.

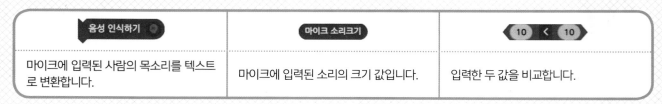

① 소음 측정하기

▶▶ 마이크 : 음성 인식 후 소음 측정 신호 보내기

01 [인공지능]에서 [인공지능 블록 불러오기]를 클릭합니다. '인공지능 블록 불러오기' 창이 열리면 [오디오 감지]를 선택한 후 [불러오기] 버튼을 클릭합니다.

02 [속성] 탭의 [신호]에서 [신호 추가하기]를 클릭하여 '소음 측정' 신호를 생성합니다.

03 음성 인식을 시작하기 위해 [시작]의 `오브젝트를 클릭했을 때` 블록과 [인공지능]의 `음성 인식하기` 블록과 [시작]의 `○ 신호 보내기` 블록을 드래그한 후 연결합니다. 그리고 신호의 목록 단추(▼)를 클릭하여 '소음 측정'을 선택합니다.

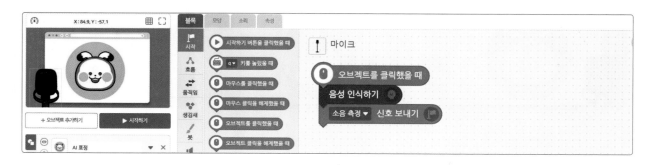

② 소음 측정값에 따라 얼굴 표정 바꾸기

▶▶ **AI 표정 : 마이크 소리크기를 비교하여 AI 표정을 바꾸고 그에 따른 기분을 글자로 출력하기**

01 'AI 표정'을 기본 표정으로 바꾸기 위해 [시작]의 `시작하기 버튼을 클릭했을 때` 블록과 [생김새]의 `○ 모양으로 바꾸기` 블록을 드래그하여 연결하고, 모양의 목록 단추(▼)를 클릭하여 '기본 얼굴'을 선택합니다.

02 소음이 측정되면 값을 비교하기 위해 [시작]의 `○ 신호를 받았을 때` 블록을 드래그합니다. 그리고 신호의 목록 단추(▼)를 클릭하여 '소음 측정'을 선택합니다.

03 이어서 [흐름]의 `만일 ○ (이)라면` 블록과 [판단]의 `○ < ○` 블록과 [인공지능]의 `마이크 소리크기` 블록을 연결한 후, 소리크기 값에 '5'를 입력합니다.

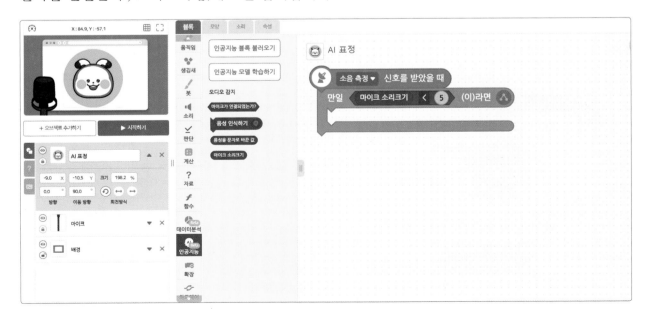

04 'AI 표정'과 기분을 표시하기 위해 [생김새]의 (O 모양으로 바꾸기) 블록과 (O 을(를) O 초 동안 O) 블록을 끼워 넣은 후, 목록 단추(▼)를 클릭하여 '웃는 얼굴'을 선택합니다. 글자값에는 "조용해서 좋아."와 '2'를 입력합니다.

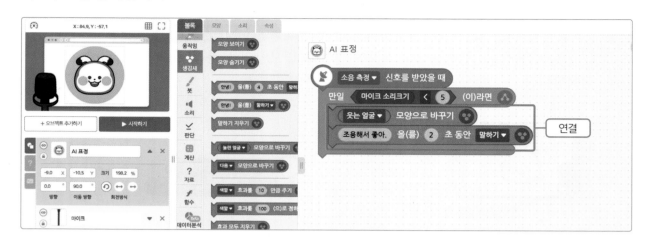

05 03~04와 같은 방법으로 다음과 같이 명령 블록을 추가하여 마이크 소리크기 값이 '5'보다 클 때 너무 시끄럽다는 표현을 하도록 코딩합니다.

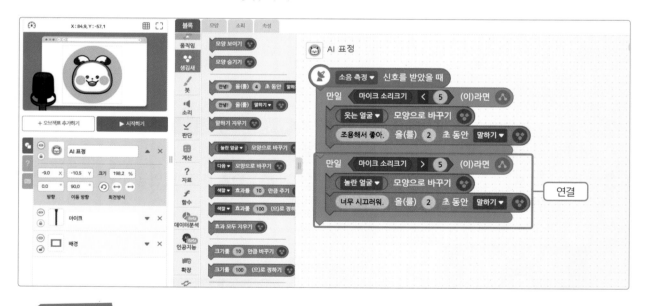

❶ 마이크 소리를 측정하기 위한 명령 블록

'마이크 소리크기'값은 마이크를 사용하는 공간에 따라 기본적으로 측정되는 값이 다르므로 기본 마이크 소리크기가 얼마나 되는지 확인한 후 사용합니다.

❷ 마이크를 연결하기 위한 명령 블록

프로그램을 실행했을 때 오류가 발생하는 경우에는 마이크가 잘 연결되었는지 확인합니다. 마이크가 연결되지 않은 상태에서 프로그램이 실행되는 오류가 발생했다면 '마이크' 오브젝트에 다음과 같이 '마이크가 연결되었는가?' 블록을 추가하여 문제를 해결해 봅니다.

나는 똑똑한 AI 개발자

똑똑한 코딩 더하기

실습파일 : 06 소음 측정 AI_더하기.ent   완성파일 : 06 소음 측정 AI_더하기(완성).ent

01 소음이 측정되면 마이크 소리크기에 따라 '배경'의 모양이 'AI 표정'과 같이 바뀌도록 코드를 추가해 봅니다.

> **똑똑 해결 과정**   배경 : '소음 측정' 신호 받음 → '배경' 모양 바꾸기

도움 명령 블록 ·····

▲ AI 표정

똑똑한 코딩 디버깅

실습파일 : 06 소음 측정 AI_디버깅.ent   완성파일 : 06 소음 측정 AI_디버깅(완성).ent

02 소음을 측정하기 위해 마이크에 소리를 입력해도 아무런 결과가 나타나지 않는 오류가 발생했습니다. 코드의 오류를 찾아 소음이 측정되도록 수정해 봅니다.

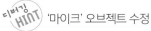 '마이크' 오브젝트 수정

07 조명 밝기를 조절하는 AI

학습 목표
- 마이크 소리크기에 따라 배경의 투명도를 바꿀 수 있습니다.
- 마이크 소리크기로 조명의 밝기를 표현할 수 있습니다.

실습파일 : 07 밝기 조절 AI.ent　　완성파일 : 07 밝기 조절 AI(완성).ent

인공지능 만들기

박수 소리로 조명이나 전등을 켜거나 끄는 것을 본 적이 있나요? 박수 소리가 마이크를 통해 입력이 되면 자동으로 스위치를 켜고 끌 수 있는데요. 이번 시간에는 엔트리의 '오디오 감지' 기능을 이용하여 마이크 소리 크기로 조명의 밝기를 조절할 수 있는 프로그램을 만들어 봅니다.

마이크 소리크기로 'AI 조명'의 밝기를 조절합니다.

활용 인공지능

오디오 감지 : 마이크를 통해 소리 크기와 음성을 감지합니다.

'▶ 시작하기' 클릭

↓

'AI 조명', '공장'
어두워짐

↓

'AI 조명', '공장'
마이크 소리크기 값에 따라
조명 밝기 조절

● '오디오 감지' 기술 미리보기

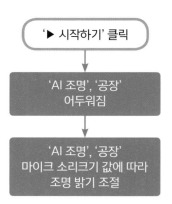
[▶] 버튼을 눌러 코드를 실행하면 '배경'과 'AI 조명'을 불투명하게 설정합니다.

마이크 소리크기로 'AI 조명'의 투명도 값을 설정하여 밝기를 조절합니다.

마이크 소리크기로 '공장'의 투명도 값을 설정하여 밝기를 조절합니다.

● 주요 블록 알아보기

10 x 10	10 - 10	마이크 소리크기
입력한 두 수를 곱한 값입니다.	입력한 두 수를 뺀 값입니다.	마이크에 입력되는 소리의 크기 값입니다.

1 공장 '조명' 밝기 조절하기

⏩ AI 조명 : 마이크 소리크기에 따라 오브젝트의 투명도를 설정하여 조명 밝기 조절

01 [인공지능]에서 [인공지능 블록 불러오기]를 클릭합니다. '인공지능 블록 불러오기' 창이 열리면 [오디오 감지]를 선택한 후, [불러오기] 버튼을 클릭합니다.

02 'AI 조명'을 어둡게 표현하기 위해 [시작]의 `시작하기 버튼을 클릭했을 때` 블록과 [생김새]의 `O 효과를 O(으)로 정하기` 블록을 드래그하여 연결한 후, 목록 단추(▼)를 클릭하여 '투명도'를 선택하고, 값에는 '100'을 입력합니다.

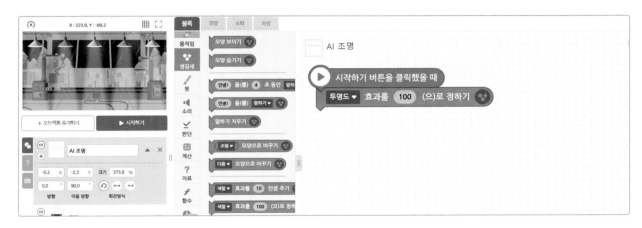

03 '마이크 소리크기'값에 따라 'AI 조명'의 밝기를 조절하기 위해 [흐름]의 `계속 반복하기` 블록과 [생김새]의 `O 효과를 O(으)로 정하기` 블록을 연결한 후, 목록 단추(▼)를 클릭하여 '투명도'를 선택합니다.

04 [계산]의 `O - O` 블록을 연결하고, [인공지능]의 `마이크 소리크기` 블록을 오른쪽에 끼워 넣습니다. 그리고 값에 '100'을 입력합니다.

똑똑블록 **TIP**

마이크 소리크기가 크지 않을 경우 'AI 조명'의 밝기를 조절하기 힘든 경우가 생길 수 있습니다.
이러한 때에는 다음과 같이 [O×O] 블록을 사용하여 '마이크 소리크기'를 2배로 설정한 후 프로그램을 실행해 봅니다.

`투명도▼ 효과를 100 - 마이크 소리크기 × 2 (으)로 정하기`

▶▶ **공장 : 마이크 소리크기에 따라 오브젝트의 투명도를 설정하여 조명 밝기 조절**

01 배경인 '공장'을 어둡게 표현하기 위해 [시작]의 `시작하기 버튼을 클릭했을 때` 블록과 [생김새]의 `O 효과를 O(으)로 정하기` 블록을 드래그하여 연결합니다. 그리고 목록 단추(▼)를 클릭하여 '투명도'를 선택한 후, 값에 '100'을 입력합니다.

02 '마이크 소리크기'값에 따라 '공장'의 밝기를 조절하기 위해 [흐름]의 `계속 반복하기` 블록과 [생김새]의 `O 효과를 O(으)로 정하기` 블록을 연결한 후, 목록 단추(▼)를 클릭하여 '투명도'를 선택합니다.

03 [계산]의 `O - O` 블록을 연결하고, [인공지능]의 `마이크 소리크기` 블록을 오른쪽에 끼워 넣습니다. 그리고 값에 '100'을 입력합니다.

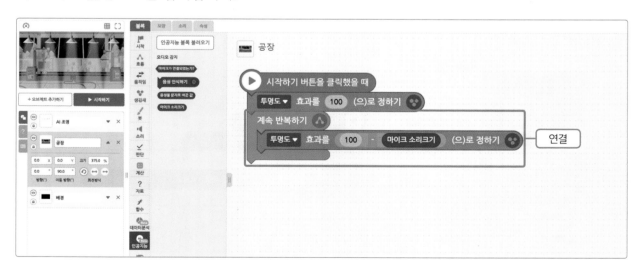

인공지능 TIP 마이크 소리를 측정하기 위한 명령 블록

'마이크 소리크기'값은 마이크를 사용하는 공간에 따라 기본적으로 측정되는 값이 다르므로 기본 마이크 소리크기가 얼마나 되는지 확인한 후 사용합니다.

나는 똑똑한 AI 개발자

똑똑한 코딩 더하기　실습파일 : 07 밝기 조절 AI_더하기.ent　완성파일 : 07 밝기 조절 AI_더하기(완성).ent

01 색깔 효과를 통해 공장의 조명색이 다르게 표현되도록 'AI 조명'과 '공장' 오브젝트에 코드를 추가해 봅니다.

> **똑똑 해결 과정**
> - AI 조명 : 시작하기 버튼을 클릭했을 때 → 색깔 효과 정하기
> - 공장 : 시작하기 버튼을 클릭했을 때 → 색깔 효과 정하기

도움 명령 블록

```
▶ 시작하기 버튼을 클릭했을 때
투명도▼ 효과를 100 (으)로 정하기
계속 반복하기
    투명도▼ 효과를 100 - 마이크 소리크기 (으)로 정하기
```

▲ 공장

더하기 HINT [투명도 효과를 ○ (으)로 정하기] 블록을 사용했을 때 어떠한 결과가 실행되었는지 떠올려 미션을 해결하세요.

똑똑한 코딩 디버깅　실습파일 : 07 밝기 조절 AI_디버깅.ent　완성파일 : 07 밝기 조절 AI_디버깅(완성).ent

02 'AI 조명'과 '공장'의 조명이 계속 켜져 있는 오류가 발생했습니다. 코드의 오류를 찾아 마이크 소리크기에 따라 조명의 밝기가 바뀌도록 수정해 봅니다.

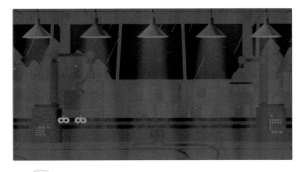 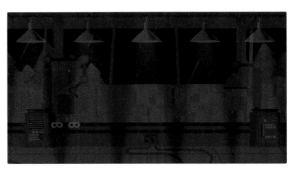

디버깅 HINT 'AI 조명', '공장' 오브젝트 수정

08 요리사를 도와주는 AI

준비물   컴퓨터, 마이크

학습목표
- 음성을 문자로 바꾸어 서로 비교할 수 있습니다.
- 음성으로 가스 불을 끄거나 켤 수 있습니다.
- 가스 불이 켜지는 모양을 통해 된장찌개와 김치찌개가 끓는 모습을 표현할 수 있습니다.

실습파일 : 08 가스불 끄는 AI.ent   완성파일 : 08 가스불 끄는 AI(완성).ent

인공지능 만들기

사람의 음성으로 가전 제품을 켜거나 끄는 것을 본 적이 있나요? 손으로는 다른 일을 하면서 음성으로 스위치를 켜거나 끌 수 있는 기능은 사람들이 편리한 생활을 할 수 있게 도와줍니다. 이번 시간에는 '오디오 감지' 기능으로 음성을 문자로 바꾸어 가스레인지가 켜지거나 꺼지도록 만들어 봅니다.

음성으로 AI 가스레인지의 가스 불을 켜거나 끕니다.

활용 인공지능
오디오 감지 : 마이크를 통해 소리 크기와 음성을 감지합니다.

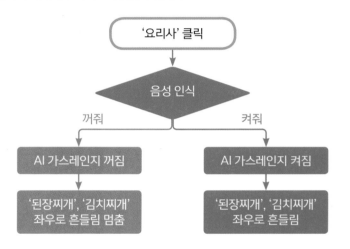

● '오디오 감지' 기술 미리보기

[▶] 버튼을 누르면 가스불이 '꺼짐' 상태로 프로그램이 실행됩니다.

'요리사'를 클릭하면 음성을 인식하고, 가스 공급 신호를 보냅니다.

가스 공급 신호를 받으면 인식된 음성을 문자로 바꾸어 문장을 비교하여 'AI 가스레인지'를 켜거나 끕니다.

● 주요 블록 알아보기

음성을 문자로 바꾼 값	10 = 10
사람의 목소리를 문자로 바꾼 값입니다.	입력한 두 값이 같을 경우 '참'으로 판단합니다.

① 가스레인지에 가스 공급하기

▶▶ **AI 가스레인지 : 음성을 문자로 바꾼 값에 따라 가스레인지를 켜거나 끄기**

01 '가스 공급' 신호를 받으면 음성을 문자와 비교하기 위해 [시작]의 O 신호를 받았을 때 블록과 [흐름]의 만일 O (이)라면 블록을 드래그하여 연결한 후, 목록 단추(▼)를 클릭하여 '가스 공급'을 선택합니다.

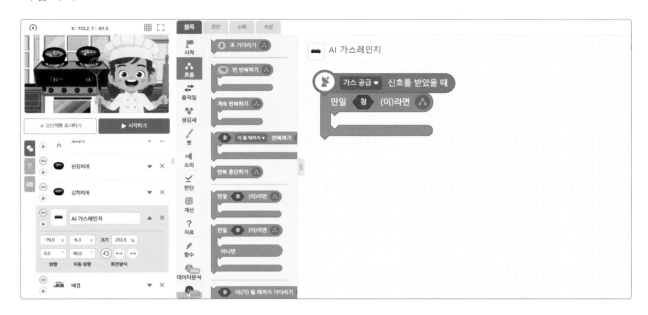

02 [판단]의 O = O 블록과 [인공지능]의 음성을 문자로 바꾼 값 블록을 연결한 후 값에 '켜줘'를 입력합니다.

똑똑블록 TIP

음성을 문자로 바꾼 값 블록은 인식한 음성을 문자로 바꾸어 주기 때문에 비교문을 O = O으로 사용합니다.

03 음성인식 결과가 '켜줘'라면 '김치찌개'와 '된장찌개'를 끓일 수 있도록 [시작]의 ◯ 신호 보내기 블록과 ◯ 모양으로 바꾸기 블록을 연결한 후, 순서대로 목록 단추(▼)를 클릭하여 각각 '켜짐'과 'AI 가스레인지 켜짐'을 선택합니다.

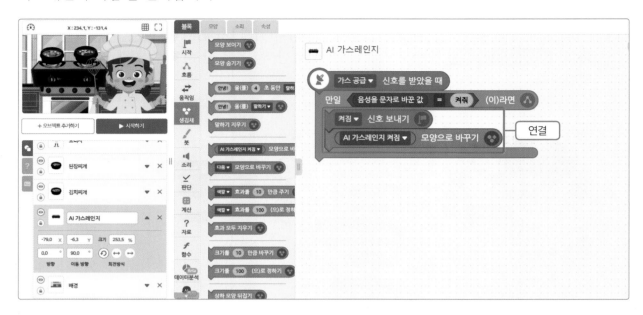

04 음성을 문자로 바꾼 값이 '꺼줘'일 때 '김치찌개'와 '된장찌개'의 움직임이 멈추도록 다음과 같이 블록을 연결하여 코드를 완성합니다.

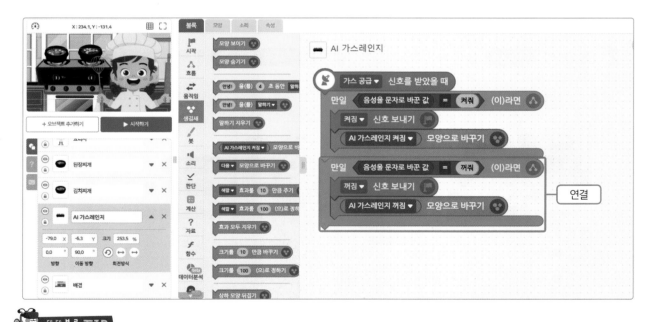

똑똑블록 **TIP**

'AI 가스레인지'의 모양은 [모양] 탭에서 확인할 수 있습니다. 이를 통해 'AI 가스레인지'의 켜짐과 꺼짐의 모습을 확인해 봅니다.

② 김치찌개 끓이기

김치찌개 : '켜짐' 신호를 받으면 방향을 바꾸어 좌우로 흔들리는 효과 나타내기

01 '김치찌개'가 끓고 있는 모습을 표현하기 위해 [시작]의 (○ 신호를 받았을 때) 블록과 [흐름]의 (계속 반복하기), (○ 초 기다리기) 블록을 드래그하여 연결한 후, 목록 단추(▼)를 클릭하여 '켜짐'을 선택합니다. 그리고 시간값에는 '0.1'을 입력합니다.

02 이어서 [움직임]의 (방향을 ○ (으)로 정하기) 블록을 연결한 후, 각도값을 '5'로 입력합니다.

03 [흐름]의 (○ 초 기다리기) 블록과 [움직임]의 (방향을 ○(으)로 정하기) 블록을 연결한 후, 시간값에 '0.1', 각도값에 '-5'를 입력합니다.

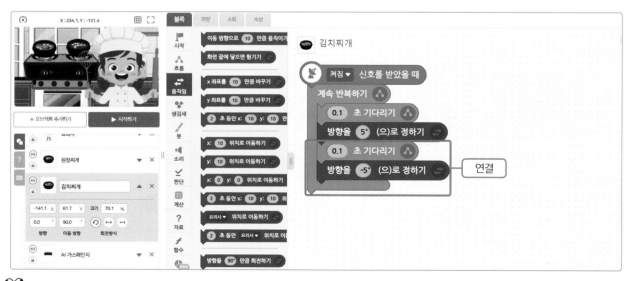

똑똑블록 TIP

방향의 각도를 다르게 입력하면 오브젝트가 좌우로 흔들리는 모습을 표현할 수 있습니다.

③ 된장찌개 끓이기

▶▶ **된장찌개 : '켜짐' 신호를 받으면 방향을 바꾸어 좌우로 흔들리는 효과 나타내기**

01 '된장찌개'가 끓고 있는 모습으로 표현하기 위해 [시작]의 ⃝ 신호를 받았을 때 블록과 [흐름]의 계속 반복하기 , ⃝ 초 기다리기 블록을 드래그하여 연결한 후, 목록 단추(▼)를 클릭하여 '켜짐'을 선택합니다. 그리고 시간 값에는 '0.1'을 입력합니다.

02 이어서 [움직임]의 방향을 ⃝(으)로 정하기 블록을 연결한 후, 각도값을 '5'로 입력합니다.

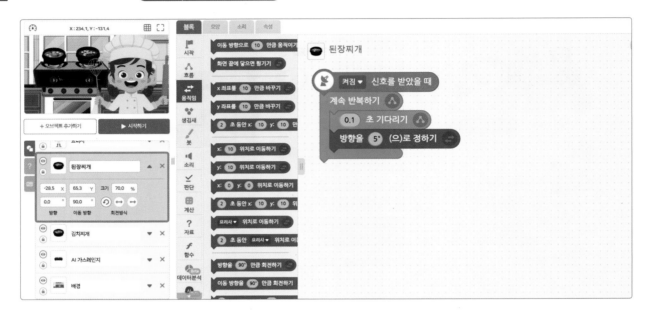

03 [흐름]의 ⃝초 기다리기 블록과 [움직임]의 방향을 ⃝(으)로 정하기 블록을 연결한 후, 시간값에 '0.1'과 각도값에 '−5'를 입력합니다.

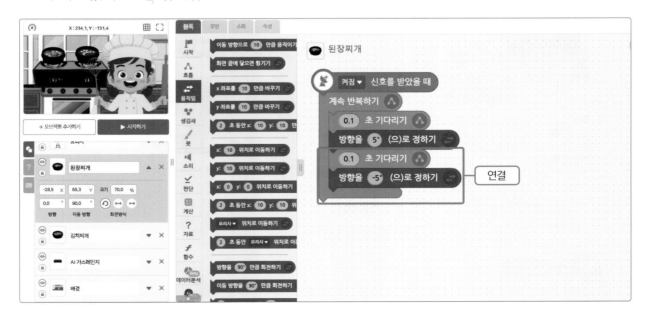

④ 김치찌개, 된장찌개 움직임 멈추기

▶▶ **김치찌개, 된장찌개 : 꺼짐 신호를 받으면 자신의 다른 코드를 멈추어 움직임 멈추기**

01 'AI 가스레인지'가 꺼지면 '김치찌개'의 움직임을 멈추기 위해 [시작]의 O 신호를 받았을 때 블록과 [흐름]의 O 코드 멈추기 블록과 [움직임]의 방향을 O(으)로 정하기 블록을 연결한 후, 목록 단추(▼)를 클릭하여 각각 '꺼짐', '자신의 다른'을 선택합니다. 그리고 각도 값에는 '0'을 입력합니다.

02 **01**과 같이 '된장찌개'도 움직임을 멈추도록 다음과 같이 조립하여 코딩을 완성합니다.

방향을 '0도'로 정하는 이유는 방향이 '0도'가 되면 기울어졌던 오브젝트가 원래 방향으로 돌아오기 때문에 멈추어 있는 모습을 표현하기 위해서입니다.

 **명령 블록 알아보기**

01 '요리사' 오브젝트에 미리 작성되어 있는 코드를 확인해 봅니다.

'요리사' 오브젝트를 클릭하면 음성 인식을 한 후 '가스 공급' 신호를 보냅니다.

02 'AI 가스레인지' 오브젝트에 미리 작성되어 있는 코드를 확인해 봅니다.

[▶] 버튼을 눌러 코드를 실행하면 'AI 가스레인지' 오브젝트의 모양이 꺼짐 모양으로 바뀝니다.

나는 똑똑한 AI 개발자

똑똑한 코딩 더하기

실습파일 : 08 가스불 끄는 AI_더하기.ent   완성파일 : 08 가스불 끄는 AI_더하기(완성).ent

01 '요리사'를 클릭하면 '요리사'가 몸을 흔들도록 코드를 추가해 봅니다.

똑똑 해결 과정	요리사 : 오브젝트를 클릭했을 때 → 방향 정하기

도움 명령 블록 ·····

▲ 김치찌개

더하기 HINT [○ 초 기다리기]와 [방향을 ○ (으)로 정하기] 블록을 사용했을 때 어떠한 결과가 실행되었는지 떠올려 미션을 해결하세요.

똑똑한 코딩 디버깅

실습파일 : 08 가스불 끄는 AI_디버깅.ent   완성파일 : 08 가스불 끄는 AI_디버깅(완성).ent

02 "켜줘"라고 음성을 인식시켜도 'AI 가스레인지'가 켜지지 않는 오류가 발생했습니다. 코드의 오류를 찾아 'AI 가스레인지'가 켜지도록 수정해 봅니다.

디버깅 HINT 'AI 가스레인지' 오브젝트 수정

09 AI와 함께 춤추는 로봇

준비물　컴퓨터, 마이크

학습목표
- 음성을 문자로 바꾸어 서로 비교할 수 있습니다.
- 음성으로 엔트리봇에게 명령을 할 수 있습니다.
- 음성으로 엔트리봇이 춤을 추게 할 수 있습니다.

실습파일 : 09 춤추는 엔트리봇.ent　　완성파일 : 09 춤추는 엔트리봇(완성).ent

음악 소리를 듣고 춤을 추는 인형을 본 적이 있나요? 이번 시간에는 '오디오 감지' 기능으로 음성을 인식한 후 문자로 바꾸어 엔트리봇에게 다양한 춤을 출 수 있도록 명령하는 댄스 프로그램을 만들어 봅니다.

음성으로 엔트리봇에게 춤을 추게 명령할 수 있습니다.

활용 인공지능

오디오 감지 : 마이크를 통해 소리 크기와 음성을 감지합니다.

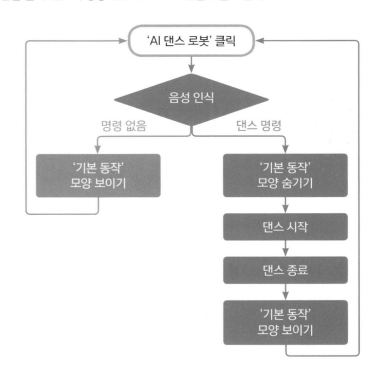

● '오디오 감지' 기술 미리보기

'AI 댄스 로봇'을 클릭하면 음성을 인식합니다. 음성에 명령이 있으면 춤 신호를 보냅니다.	음성에 춤을 추게 하는 명령(고고, 부채춤, 댄스)이 있으면 춤 신호를 보냅니다.	춤 신호를 받으면 엔트리봇은 명령에 해당하는 춤을 춥니다.

주요 블록 알아보기

10 번 반복하기 △	입력한 횟수만큼 감싸고 있는 블록들을 반복 실행합니다.
음성을 문자로 바꾼 값	사람의 목소리를 문자로 바꾼 값입니다.
음성 인식하기	마이크에 입력되는 사람의 목소리를 텍스트로 변환합니다.
모양 보이기	오브젝트를 실행화면에 보이게 합니다.
모양 숨기기	오브젝트를 실행화면에 보이지 않게 합니다.

 **① '고고' 춤추기**

▶▶ 고고 : 음성을 문자로 바꾼 값이 '고고'이면 춤추기 시작하기

01 오브젝트가 춤추기 댄스 명령을 확인하기 위해 [시작]의 ○ 신호를 받았을 때 블록과 [흐름]의 ○ 이(가) 될 때까지 기다리기 블록과 [판단]의 ○ = ○ 블록을 드래그하여 연결한 후 목록 단추(▼)를 클릭하여 '춤 신호'를 선택합니다.

02 [인공지능]의 음성을 문자로 바꾼 값 블록을 연결한 후, 값에 '고고'를 입력합니다.

03 춤추기 명령이 있다면 '고고' 춤을 화면에 나타내기 위해 [생김새]의 모양 보이기 블록을 연결합니다.

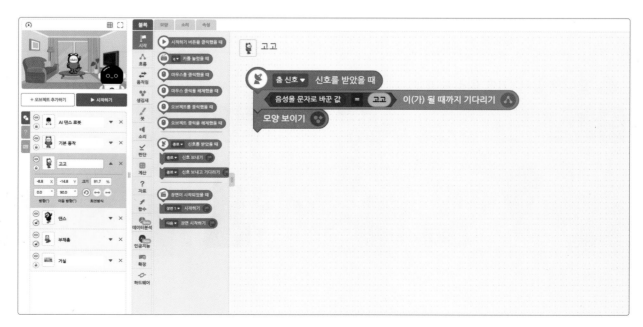

54

04 '고고' 춤 동작을 나타내기 위해 [흐름]의 ○ 번 반복하기 블록과 [생김새]의 '다음' 모양으로 바꾸기 블록과 [흐름]의 ○초 기다리기 블록을 연결한 후, '다음'값에 각각 '54'와 '0.1'을 입력합니다.

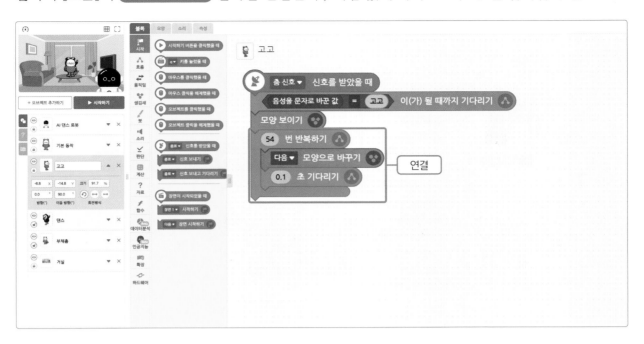

05 '고고' 춤 동작이 끝나면 '기본 동작'을 나타내기 위해 [시작]의 ○ 신호 보내기 블록과 [생김새]의 모양 숨기기 블록을 드래그하여 연결한 후, 목록 단추(▼)를 클릭하여 '종료'를 선택합니다.

인공지능TIP

엔트리 인공지능의 음성 인식 기능은 받침이 있는 글자보다 받침이 없는 글자를 좀 더 잘 인식합니다.

② '댄스'와 '부채춤' 추가

▶ 댄스, 부채춤 : 음성을 문자로 바꾼 값이 '댄스'와 '부채춤'이면 춤추기 시작하기

01 '댄스' 오브젝트를 선택한 후, '댄스' 명령이 있다면 춤을 추도록 다음과 같이 코딩을 완성합니다.

02 '부채춤' 오브젝트를 선택한 후, '부채춤' 명령이 있다면 춤을 추도록 다음과 같이 코딩을 완성합니다.

인공지능 TIP

프로그램을 실행하여 마이크로 음성을 입력할 때 인식이 잘 되지 않는 오류가 발생했다면 '음성을 문자로 바꾼 값'을 받침이 없는 문자로 바꾸어 봅니다.

01 'AI 댄스 로봇' 오브젝트에 미리 작성되어 있는 코드를 확인해 봅니다.

❶ 오브젝트를 클릭하면 '음성 인식'을 시작합니다.

❷ 음성 인식을 문자로 바꾼 결과가 '고고', '댄스', '부채춤'이라면 '춤 신호'를 보내 댄스를 시작합니다.

02 '기본 동작' 오브젝트에 미리 작성되어 있는 코드를 확인해 봅니다.

[▶] 버튼을 눌러 코드를 실행하면 '기본 동작' 오브젝트가 화면에 보입니다.

춤 신호를 받으면(다른 오브젝트가 춤추기 동작을 하면) '기본 동작' 오브젝트를 화면에서 숨깁니다.

종료 신호를 받으면(다른 오브젝트가 춤추기 동작을 멈추면) '기본 동작' 오브젝트를 화면에 보입니다.

03 '고고', '댄스', '부채춤' 오브젝트에 미리 작성되어 있는 코드를 확인해 봅니다.

[▶] 버튼을 눌러 코드를 실행하면 '고고', '댄스', '부채춤' 오브젝트를 화면에서 숨깁니다.

MISSION 나는 똑똑한 AI 개발자

똑똑한 코딩 더하기
실습파일 : 09 춤추는 엔트리봇_더하기.ent　　완성파일 : 09 춤추는 엔트리봇_더하기(완성).ent

01 '춤 신호' 신호를 받으면 '댄스음악'이 재생되고, 'AI 댄스 로봇'도 함께 춤을 추게 합니다. 그리고 '종료' 신호를 받으면 '댄스음악'이 멈추도록 코드를 추가해 봅니다.

똑똑 해결 과정	• AI 댄스 로봇 : 음성 인식 결과 확인 → 모양 바꾸기
	• AI 댄스 로봇 : '춤 신호' 받음 → '댄스음악' 소리 재생
	• AI 댄스 로봇 : '종료' 신호 받음 → '댄스음악' 소리 멈추기

도움 명령 블록 ......

```
춤 신호 ▼ 신호를 받았을 때
음성을 문자로 바꾼 값 = 고고 이(가) 될 때까지 기다리기
모양 보이기
54 번 반복하기
  다음 ▼ 모양으로 바꾸기
  0.1 초 기다리기
종료 ▼ 신호 보내기
모양 숨기기
```

▲ 고고

더하기 HINT [○ 신호를 받았을 때]와 ['다음' 모양으로 바꾸기] 블록을 사용했을 때 어떠한 결과가 실행되었는지를 떠올려 미션을 해결하세요.

똑똑한 코딩 디버깅
실습파일 : 09 춤추는 엔트리봇_디버깅.ent　　완성파일 : 09 춤추는 엔트리봇_디버깅(완성).ent

02 엔트리봇이 춤추기 명령을 받으면 너무 빠르게 춤을 추는 오류가 발생했습니다. 코드의 오류를 찾아 춤을 천천히 추도록 수정해 봅니다.

디버깅 HINT '던지기 춤, 하하춤, 부채춤' 오브젝트 수정

10 AI 게임 – 기억력 테스트

준비물   컴퓨터, 마이크

학습목표
- 기억해 둔 색깔(분홍, 초록, 파랑, 빨강)을 음성으로 기록할 수 있습니다.
- 기록한 음성을 문자와 비교하여 문제의 정답을 확인할 수 있습니다.

실습파일 : 10 기억력 테스트 AI.ent   완성파일 : 10 기억력 테스트 AI(완성).ent

기억력 테스트 게임을 해 본 적이 있나요? 이번 시간에는 엔트리를 이용하여 카드의 순서를 기억하는 기억력 게임을 만들어 봅니다. 그리고 '오디오 감지' 기능을 이용하여 게임의 정답을 음성으로 기록하고 확인할 수 있도록 합니다.

화면에 나타나는 카드의 색상을 기억해 두었다가 그 순서를 음성으로 대답하여 문제의 정답과 비교해 볼 수 있습니다.

활용 인공지능

오디오 감지 : 마이크를 통해 소리 크기와 음성을 감지합니다.

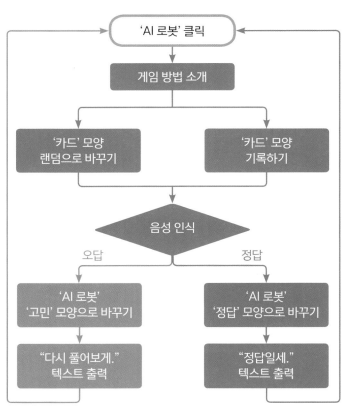

'오디오 감지' 기술 미리보기

'AI 로봇'을 클릭하면 게임 방법을 소개한 후 게임을 시작합니다.

시작 신호를 받으면 '카드'의 색상이 랜덤으로 나타납니다.

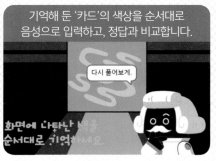

기억해 둔 '카드'의 색상을 순서대로 음성으로 입력하고, 정답과 비교합니다.

주요 블록 알아보기

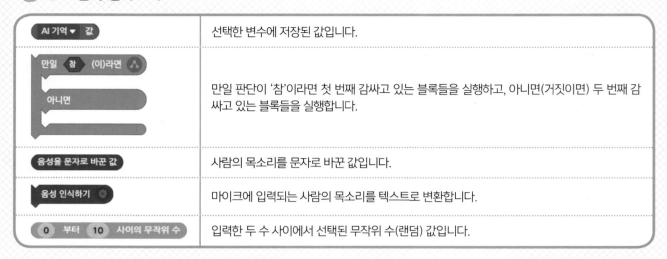

AI 기억 ▼ 값	선택한 변수에 저장된 값입니다.
만일 참 (이)라면 / 아니면	만일 판단이 '참'이라면 첫 번째 감싸고 있는 블록들을 실행하고, 아니면(거짓이면) 두 번째 감싸고 있는 블록들을 실행합니다.
음성을 문자로 바꾼 값	사람의 목소리를 문자로 바꾼 값입니다.
음성 인식하기	마이크에 입력되는 사람의 목소리를 텍스트로 변환합니다.
0 부터 10 사이의 무작위 수	입력한 두 수 사이에서 선택된 무작위 수(랜덤) 값입니다.

① 정답 확인하기

 **AI 로봇 : 음성을 문자로 바꾼 값과 변수에 기록된 정답 비교하기**

01 정답을 음성으로 기록하기 위해 [인공지능]의 음성 인식하기 블록을 드래그하여 연결합니다.

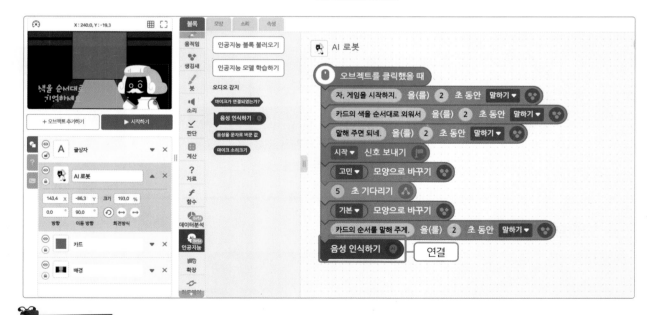

> **똑똑블록 TIP**
> 음성 인식을 할 때 랜덤으로 나타난 '카드'의 색상을 이어서 말해야 색상이 모두 문자로 기록됩니다.

02 '음성 인식하기'로 기록된 음성과 변수에 기록되어 있는 정답이 같은지 비교하기 위해 [흐름]의 만일 ○ (이)라면 아니면 블록과 [판단]의 ○ = ○ 블록을 드래그하여 연결합니다.

똑똑블록 TIP

'변수'란 변하는 값을 기록해 두는 곳으로 '카드'가 랜덤으로 출제되는 색깔을 기록합니다.

03 [인공지능]의 음성을 문자로 바꾼 값 블록과 [계산]의 ○ 의 ○ 번째 글자부터 ○ 번째 글자까지의 글자 블록을 드래그하여 연결한 후, 값에 '1'과 '8'을 입력합니다. 이어서 [자료]의 AI 기억값 블록을 드래그하여 연결합니다.

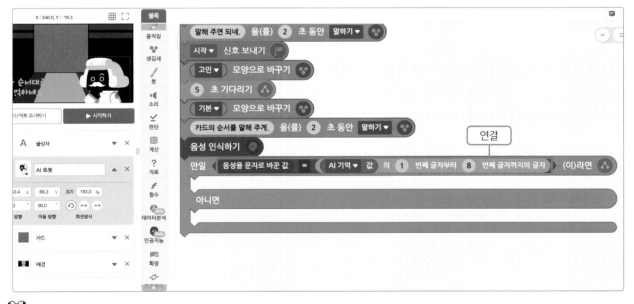

똑똑블록 TIP

변수는 [속성] 탭의 [변수]에서 [변수 추가하기] 버튼을 클릭하여 만들 수 있습니다.

04 정답과 오답을 표현하기 위해 먼저 [생김새]의 (O 모양으로 바꾸기) 와 (O 을(를) O 초 동안 말하기) 블록을 연결한 후, 목록 단추(▼)를 클릭하여 '정답'을 선택합니다. 그리고 "정답일세."를 '2'초 동안 말하도록 입력합니다.

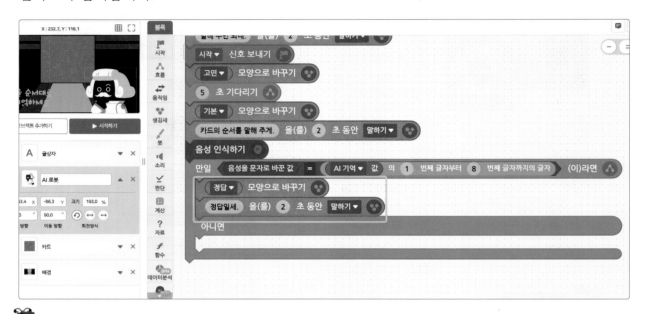

똑똑블록 TIP

[음성을 문자로 바꾼 값]을 [AI 기억] 변수와 비교할 때 글자 전체(빨강∨파랑∨초록∨)를 비교하지 않고 '1'번째 글자부터 '8' 번째 글자까지만 비교하는 이유는 음성을 문자로 기록할 때 마지막에 띄어쓰기가 기록되지 않기 때문입니다. 이렇게 코딩을 하면 [AI 기억] 변수에 기록되어 있는 정답 중 9번째 글자인 공백(∨)은 삭제됩니다.

05 이어서 **04**와 같은 블록을 연결한 후, 목록 단추(▼)를 클릭하여 '고민'을 선택합니다. 그리고 "다시 풀어보게."를 '2'초 동안 말하도록 입력합니다.

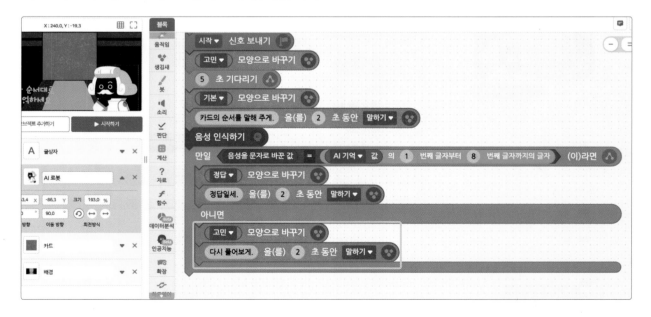

01 'AI 로봇' 오브젝트에 미리 작성되어 있는 코드를 확인해 봅니다.

[▶] 버튼을 눌러 코드를 실행하면 'AI 로봇' 오브젝트의 모양을 '기본'으로 바꿉니다.

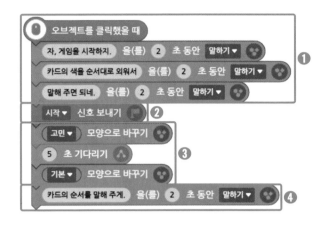

❶ 'AI 로봇' 오브젝트를 클릭하면 게임 설명을 합니다.

❷ 설명이 끝나면 '시작' 신호를 보내 '카드'가 문제를 내도록 합니다.

❸ '카드'가 문제를 내는 동안 고민하는 모양으로 바꾼 후 다시 기본 모양으로 바꿉니다.

❹ 카드의 순서를 음성으로 기록하기 위해 안내 말을 나타냅니다.

02 '글상자' 오브젝트에 미리 작성되어 있는 코드를 확인해 봅니다.

[▶] 버튼을 눌러 코드를 실행하면 화면에 메시지를 출력합니다.

03 '카드' 오브젝트에 미리 작성되어 있는 코드를 확인해 봅니다.

[▶] 버튼을 눌러 코드를 실행하면 'AI 기억' 변수에 기록된 데이터를 리셋하기 위해 지운 후 '카드'를 화면에서 숨깁니다.

❶ '시작' 신호를 받으면 '3'번 반복하여 카드를 보여 줍니다. 이때 카드는 랜덤으로 선택합니다.

❷ 변수에 '카드' 모양 이름을 기록하고 띄어쓰기를 할 수 있도록 공백을 추가합니다.

❸ '1'초간 '카드'를 보여 준 후, '카드'를 숨깁니다. 다음 '카드'를 보여 주기 전에 '0.5'초 기다립니다.

❹ 문제를 모두 출제한 후 '카드'를 화면에서 숨깁니다.

MISSION 나는 똑똑한 AI 개발자

똑똑한 코딩 더하기 실습파일 : 10 기억력 테스트 AI_더하기.ent 완성파일 : 10 기억력 테스트 AI_더하기(완성).ent

01 '카드'의 색깔을 랜덤으로 나타낼 때, '글상자'를 통해 몇 번째 카드인지도 함께 나타나도록 코드를 추가해 봅니다.

똑똑 해결 과정	글상자 : '시작' 신호 받음 → 카드 순서 알려 주기

도움 명령 블록

> ▶ 시작하기 버튼을 클릭했을 때
>
> 화면에 나타난 색을 순서대로 기억하세요. 라고 글쓰기 가

▲ 글상자

더하기 HINT [○ 라고 글쓰기]와 [○ 초 기다리기] 블록을 사용했을 때 어떠한 결과가 실행되었는지 떠올려 미션을 해결하세요.

똑똑한 코딩 디버깅 실습파일 : 10 기억력 테스트 AI_디버깅.ent 완성파일 : 10 기억력 테스트 AI_디버깅(완성).ent

02 음성 인식이 되지 않는 오류가 발생했습니다. 코드의 오류를 찾아 음성이 인식되도록 수정해 봅니다.

디버깅 HINT '카드' 오브젝트 수정

11 AI 침입자 감지 시스템

준비물 컴퓨터, 웹캠, 스피커

학습 목표
- 움직임을 감지하여 침입자를 찾을 수 있습니다.
- 움직임을 값으로 확인할 수 있습니다.

실습파일 : 11 AI 침입자 감지 시스템.ent   완성파일 : 11 AI 침입자 감지 시스템(완성).ent

현관이나 계단을 지나갈 때 등이 자동으로 켜지는 것을 본 적이 있나요? 사람의 움직임을 감지하는 센서가 작동되어서 등이 켜진 것인데요. 이번 시간에는 '비디오 감지' 기능을 이용하여 움직임 값을 통해 침입자를 감지하는 시스템을 만들어 봅니다.

움직임이 감지되면 'AI 감지'가 침입자를 찾습니다.

활용 인공지능
비디오 감지 : 카메라를 이용하여 사람(신체), 얼굴, 사물 등을 인식합니다.

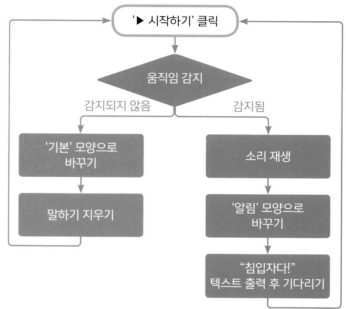

'비디오 감지' 기술 미리보기

[▶] 버튼을 눌러 코드를 실행하면 비디오 감지 기능으로 움직임을 감지합니다.

움직임이 감지되면 전자 알림음이 재생됩니다.

움직임이 감지되면 'AI감지'가 침입자를 알립니다.

주요 블록 알아보기

소리 전자신호음2 ▼ 재생하기	해당 오브젝트가 선택한 소리를 재생하는 동시에 다음 블록을 실행합니다.
자신 ▼ 에서 감지한 움직임 ▼ 값	선택한 오브젝트 혹은 실행화면 위에서 감지되는 움직임 혹은 방향 값입니다.

① 침입자 감지하기

▶ **AI 감지 : 움직임이 감지되면 '알림' 모양으로 바꾸고 소리와 텍스트로 침입자 알리기**

01 [블록]의 [인공지능]에서 [인공지능 블록 불러오기]를 클릭합니다. '인공지능 블록 불러오기' 창이 열리면 [비디오 감지]를 선택한 후 [불러오기] 버튼을 클릭합니다.

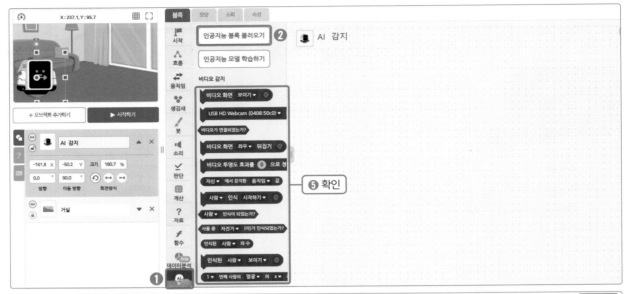

02 [시작]의 <kbd>시작하기 버튼을 클릭했을 때</kbd> 블록과 [흐름]의 <kbd>계속 반복하기</kbd> 블록을 드래그하여 연결합니다.

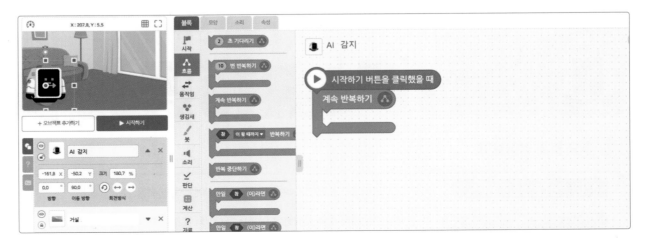

03 침입자의 움직임 값을 비교하기 위해 [흐름]의 `만일 O (이)라면 아니면` 블록과 [판단]의 `O > O` 블록과 [인공지능]의 `O 에서 감지한 O 값` 블록을 드래그하여 연결한 후, 값에 '100'을 입력합니다.

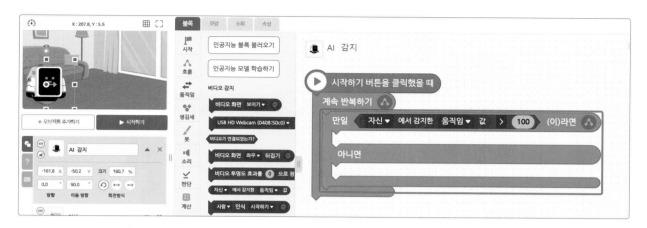

인공지능 TIP

❶ `O 에서 감지한 O 값` 은 화면에 보이는 움직임을 모두 감지하므로 자신을 제외한 다른 사람의 움직임도 감지합니다. `O 에서 감지한 O 값` 을 이용하여 프로그램을 만들 때에는 카메라에 자신의 모습만 찍히게 하여 테스트를 해야 정확한 결과 값을 얻을 수 있습니다.

❷ **마이크를 연결하기 위한 명령 블록**

`시작하기 버튼을 클릭했을 때`
`비디오가 연결되었는가? 이(가) 될 때까지 기다리기`

프로그램을 실행했을 때 오류가 발생하는 경우에는 웹캠이 잘 연결되었는지 확인합니다. 웹캠이 연결되지 않은 상태에서 프로그램이 실행되어 오류가 발생했다면 'AI 감지' 오브젝트에 다음과 같이 '비디오가 연결되었는가?' 블록을 추가하여 문제를 해결해 봅니다.

04 침입자가 감지되면 소리와 모습으로 알려 주기 위해 [소리]의 `소리 O 재생하기` 블록과 [생김새]의 `O 모양으로 바꾸기` 블록을 연결한 후, 목록 단추(▼)를 클릭하여 각각 '전자신호음2'와 '알림'을 선택합니다.

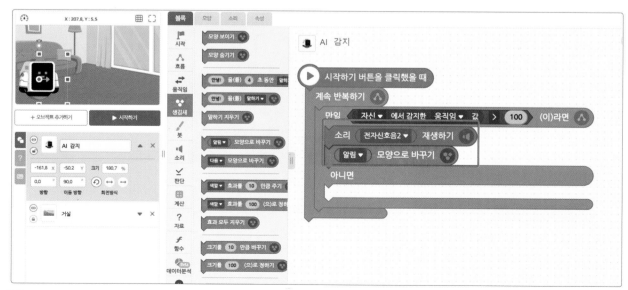

똑똑블록 TIP

소리는 [소리] 탭에서 [소리 추가하기] 버튼을 클릭하여 추가할 수 있습니다.

05 말풍선으로 메시지를 나타내고, 알림 속도를 제어하기 위해 [생김새]의 ○ 을(를) 말하기 블록과 [흐름]의 ○ 초 기다리기 블록을 드래그하여 연결한 후 텍스트와 값에 "침입자다!"를, 시간값에 '0.2'를 입력합니다.

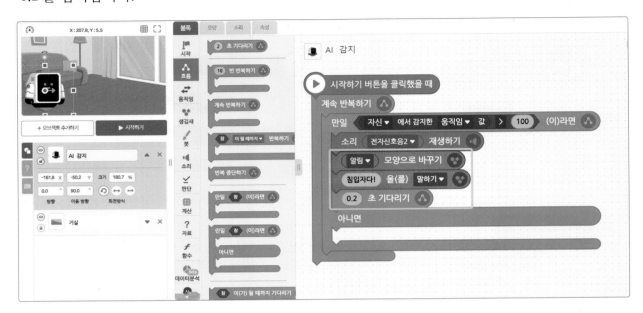

06 침입자가 감지되지 않았을 때를 나타내기 위해 [생김새]의 ○ 모양으로 바꾸기 블록과 말하기 지우기 블록을 드래그하여 연결한 후, 목록 단추(▼)를 클릭하여 '기본'을 선택합니다.

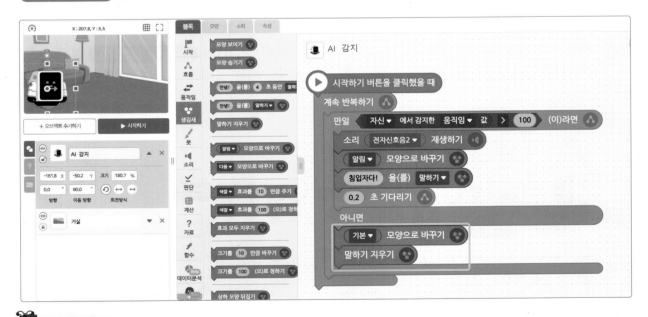

똑똑블록 TIP

[말하기 지우기] 블록은 화면에 나타난 말풍선 텍스트를 화면에 나타나지 않게 합니다.

나는 똑똑한 AI 개발자

실습파일 : 11 AI 침입자 감지 시스템_더하기.ent
완성파일 : 11 AI 침입자 감지 시스템_더하기(완성).ent

똑똑한 코딩 더하기

01 움직임이 감지되면 '거실'의 모양이 바뀌도록 코드를 추가해 봅니다.

똑똑 해결 과정	거실 : 움직임 감지 → 모양 바꾸기

도움 명령 블록 ·····▶

```
시작하기 버튼을 클릭했을 때
계속 반복하기
  만일  자신▼ 에서 감지한  움직임▼ 값  >  100  (이)라면
    소리  전자신호음2▼  재생하기
    알림▼  모양으로 바꾸기
    침입자!  을(를)  말하기▼
  아니면
    기본▼  모양으로 바꾸기
    말하기 지우기
```

▲ AI 감지

HINT [만일 ○ (이)라면 아니면], [○>○], [○에서 감지한 ○ 값], [○ 모양으로 바꾸기] 블록을 사용했을 때 어떠한 결과가 실행되었는지 떠올려 미션을 해결하세요.

실습파일 : 11 AI 침입자 감지 시스템_디버깅.ent
완성파일 : 11 AI 침입자 감지 시스템_디버깅(완성).ent

똑똑한 코딩 디버깅

02 침입자가 감지되어도 알림음이 울리지 않고, 'AI 감지'도 반응이 없는 오류가 발생했습니다. 코드의 오류를 찾아 AI 감지가 바르게 작동하도록 수정해 봅니다.

 HINT 'AI 감지' 오브젝트 수정

12 AI 게임 - 무궁화 꽃이 피었습니다

학습목표
- '비디오 감지' 기능을 이용하여 게임을 진행할 수 있습니다.
- '오디오 감지' 기능으로 게임을 진행할 수 있습니다.
- 움직임을 감지하면 'AI 술래'가 "잡았다"를 말합니다.

실습파일 : 12 AI 게임.ent   완성파일 : 12 AI 게임(완성).ent

인공지능 만들기

'무궁화 꽃이 피었습니다' 게임을 해 본 적이 있나요? 술래가 벽을 보고 "무궁화 꽃이 피었습니다."를 외친 후 뒤를 돌아봤을 때, 움직이는 사람이 있으면 잡아내는 게임이지요. 이번 시간에는 '읽어주기'와 '비디오 감지' 기능을 이용하여 '무궁화 꽃이 피었습니다' 게임을 만들어 봅니다.

움직임이 감지되면 'AI 술래'가 움직이는 사람을 찾습니다.

활용 인공지능
읽어주기 : 메시지를 사람의 목소리로 재생합니다. 이때 목소리는 다양한 형태로 바꿀 수 있습니다.
비디오 감지 : 카메라를 이용하여 사람(신체), 얼굴, 사물 등을 인식합니다.

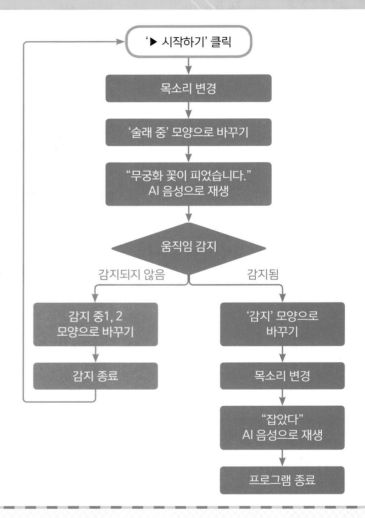

'▶ 시작하기' 클릭

목소리 변경

'술래 중' 모양으로 바꾸기

"무궁화 꽃이 피었습니다." AI 음성으로 재생

움직임 감지

감지되지 않음 / 감지됨

감지 중1, 2 모양으로 바꾸기

감지 종료

'감지' 모양으로 바꾸기

목소리 변경

"잡았다" AI 음성으로 재생

프로그램 종료

'읽어주기', '비디오 감지' 기술 미리보기

[▶] 버튼을 눌러 코드를 실행하면 '읽어주기' 기능으로 게임을 진행합니다.

'비디오 감지' 기능으로 감지되지 않았을 때에는 두리번거리며 찾는 모습을 나타냅니다.

'비디오 감지' 기능으로 움직임을 감지하면 AI 술래가 "잡았다"를 말합니다.

주요 블록 알아보기

엔트리 읽어주고 기다리기	입력한 문자값을 읽어준 후, 다음 블록을 실행합니다.
여성 ▼ 목소리를 보통 ▼ 속도 보통 ▼ 음높이로 설정하기	선택한 목소리가 선택한 속도와 음높이로 설정됩니다.
자신 ▼ 에서 감지한 움직임 ▼ 값	선택한 오브젝트 혹은 실행화면 위에서 감지되는 움직임 혹은 방향 값입니다.

 술래 표현하기

▶▶ **AI 술래 : '무궁화 꽃이 피었습니다'를 말한 후 움직임 감지하는 모습 나타내기**

01 [블록]의 [인공지능]에서 [인공지능 블록 불러오기]를 클릭한 후 '인공지능 블록 불러오기' 창이 열리면 [읽어주기]와 [비디오 감지]를 선택한 후 [불러오기] 버튼을 클릭합니다.

02 'AI 술래'가 게임을 진행하도록 하기 위해 [시작]의 시작하기 버튼을 클릭했을 때 블록과 [흐름]의 계속 반복하기 블록을 드래그하여 연결합니다.

03 [인공지능]의 O 목소리를 O 속도 O 음높이로 설정하기 블록과 [생김새]의 O 모양으로 바꾸기 블록을 연결한 후, 순서대로 목록 단추(▼)를 클릭하여 '울리는', '보통', '보통', '술래 중'을 선택합니다.

04 [인공지능]의 O 읽어주고 기다리기 블록과 [시작]의 O 신호 보내기 블록을 드래그하여 연결한 후, 텍스트에 "무궁화 꽃이 피었습니다."를 입력하고, 목록 단추(▼)를 클릭하여 '감지 시작'을 선택합니다.

05 움직임 감지를 시작하면 'AI 술래'가 두리번거리도록 [흐름]의 〔 ○ 번 반복하기 〕 블록과 [생김새]의 〔 ○ 모양으로 바꾸기 〕 블록과 [흐름]의 〔 ○ 초 기다리기 〕 블록을 다음과 같이 연결합니다. 그리고 목록 단추(▼)를 클릭하여 '감지 중1', '감지 중2'를 선택합니다. 횟수에 '10', 시간값에 각각 '0.5'를 입력합니다.

06 이어서 게임을 진행하도록 [시작]의 〔 ○ 신호 보내기 〕 블록을 드래그하여 연결한 후, 목록 단추(▼)를 클릭하여 '감지 종료'를 선택합니다.

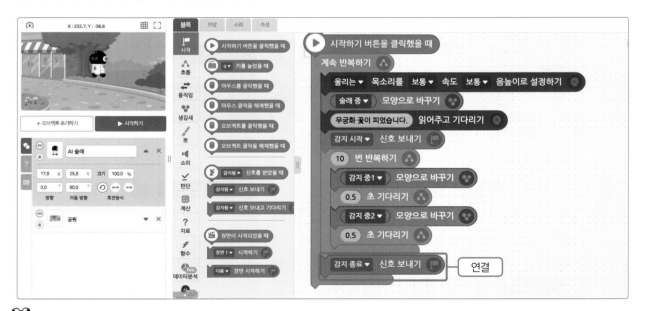

똑똑블록 TIP

'감지 종료' 신호를 보내면 '공원' 오브젝트에서 감지를 멈추므로 [▶ 시작하기] 버튼을 눌러 게임을 다시 진행할 수 있습니다.

무궁화 꽃이 피었습니다 → 감지 ↗ 잡음 → 종료
　　　　　　　　　　　　　　 ↘ 놓침 → 감지 종료 → 무궁화 꽃이 피었습니다

② 움직임 감지하기

▶▶ 공원 : 움직임을 감지하여 'AI 술래'에게 신호 보내기

01 감지가 시작되면 움직이는 사람이 있는지 확인하기 위해 [시작]의 `O 신호를 받았을 때` 블록과 [흐름]의 `O 이(가) 될 때까지 기다리기` 블록과 [판단]의 `10 > 10` 블록을 연결합니다. 그리고 목록 단추(▼)를 클릭하여 '감지 시작'을 선택합니다.

02 이어서 [인공지능]의 `O 에서 감지한 O 값` 블록을 연결합니다. 그리고 목록 단추(▼)를 클릭하여 '자신', '움직임'을 선택한 후, 값에 '300'을 입력합니다. 이어서 [시작]의 `O 신호 보내기` 블록을 연결한 후, 목록 단추(▼)를 클릭하여 '감지 됨'을 선택합니다.

03 감지가 종료되면 움직이는 사람을 감지하지 않도록 [시작]의 `O 신호를 받았을 때` 블록과 [흐름]의 `O 코드 멈추기` 블록을 연결합니다. 그리고 목록 단추(▼)를 클릭하여 '감지 종료', '자신의 다른'을 선택합니다.

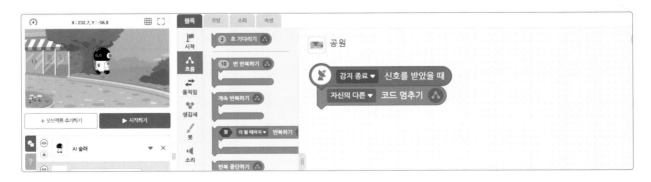

3 감지한 상태 표현하기

▶▶ AI 술래 : '감지 됨' 신호를 받으면 "잡았다!"를 말하기

01 '감지 됨' 신호를 받으면 게임 진행을 멈추게 하기 위해 [시작]의 `○ 신호를 받았을 때` 블록과 [흐름]의 `○ 코드 멈추기` 블록과 [생김새]의 `○ 모양으로 바꾸기` 블록을 드래그하여 연결합니다. 그리고 목록 단추(▼)를 클릭하여 '감지 됨', '자신의 다른', '감지'를 선택합니다.

02 'AI 술래'가 "잡았다"를 말하도록 [인공지능]의 `○ 목소리를 ○ 속도 ○ 음높이로 설정하기` 블록과 `○ 읽어주고 기다리기` 블록과 [흐름]의 `○ 코드 멈추기` 블록을 드래그하여 연결합니다. 그리고 목록 단추(▼)를 클릭하여 '울리는', '보통', '보통'을 선택하고, 텍스트에 "잡았다!"를 입력한 후, '모든'을 선택합니다.

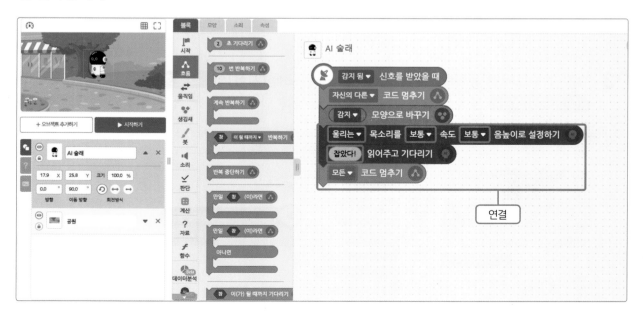

나는 똑똑한 AI 개발자

똑똑한 코딩 **더**하기

실습파일 : 12 AI 게임_더하기.ent   완성파일 : 12 AI 게임_더하기(완성).ent

01 'AI 술래'가 음성으로 "무궁화 꽃이 피었습니다"를 말할 때 같은 내용이 말풍선에 나타나도록 코드를 추가해 봅니다.

> **똑똑 해결 과정**   AI 술래 : 텍스트 출력 → 읽고 기다리기

도움 명령 블록

```
▶ 시작하기 버튼을 클릭했을 때
계속 반복하기 ⌃
    울리는 ▾ 목소리를 보통 ▾ 속도 보통 ▾ 음높이로 설정하기 ⚙
    술래 중 ▾ 모양으로 바꾸기 ✿
    무궁화 꽃이 피었습니다. 읽어주고 기다리기 ⚙
    감지 시작 ▾ 신호 보내기 🏳
    10 번 반복하기 ⌃
        감지 중1 ▾ 모양으로 바꾸기 ✿
        0.5 초 기다리기 ⌃
        감지 중2 ▾ 모양으로 바꾸기 ✿
        0.5 초 기다리기 ⌃
    감지 종료 ▾ 신호 보내기 🏳
```

▲ AI 술래

> **더하기 HINT** '도움 명령 블록'에 [○을(를) 말하기]와 [말하기 지우기]를 블록을 추가했을 때, 어떠한 결과가 실행될지를 떠올려 미션을 해결하세요.

똑똑한 코딩 **디**버깅

실습파일 : 12 AI 게임_디버깅.ent   완성파일 : 12 AI 게임_디버깅(완성).ent

02 'AI 술래'가 움직이는 사람을 찾았는데도 게임이 멈추지 않는 오류가 발생했습니다. 코드의 오류를 찾아 게임이 멈추도록 수정해 봅니다.

> **디버깅 HINT** 'AI 감지' 오브젝트 수정

13 든든한 AI 동물 구조사

준비물　**컴퓨터, 웹캠**

학습 목표
- '비디오 감지' 기능을 이용하여 게임을 진행할 수 있습니다.
- 사람의 움직임을 감지하여 좌표 값으로 사용할 수 있습니다.

실습파일 : 13 동물 구조 AI.ent　　완성파일 : 13 동물 구조 AI(완성).ent

인공지능 만들기

화재나 재난으로 인한 응급 상황이 발생했을 경우 신속하고 안전하게 사람을 구조하는 로봇에 대한 이야기를 들어 본 적이 있나요? 로봇은 사람이 하기 힘든 일을 대신해 주는 고마운 친구이지요. 이번 시간에는 '비디오 감지' 기능의 움직임을 이용하여 동물을 구조하는 인공지능 프로그램을 만들어 봅니다.

'비디오 감지' 기능으로 움직임을 감지하여 하늘에서 떨어지는 '병아리'를 구조할 수 있습니다.

 활용 인공지능 📷

비디오 감지 : 카메라를 이용하여 사람(신체), 얼굴, 사물 등을 인식합니다.

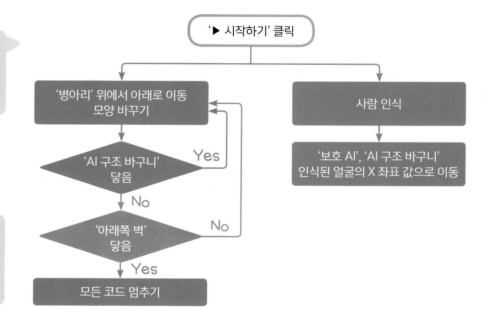

'오디오 감지' 기술 미리보기

[▶] 버튼을 눌러 코드를 실행하면 하늘에서 '병아리'가 떨어집니다.

'비디오 감지' 기능으로 움직임을 감지하면 '보호 AI'가 'AI 구조 바구니'를 들고 감지한 위치로 이동하여 '병아리'를 구조합니다.

'병아리'가 바닥(아래쪽 벽에) 떨어지면 구조 실패로 실행이 멈춥니다.

🌟 주요 블록 알아보기

참 이 될 때까지 ▼ 반복하기	판단 값이 '참'이 될 때까지 명령을 반복합니다.
x: 0 y: 0 위치로 이동하기	오브젝트가 입력한 X와 Y 좌표로 이동합니다.
마우스포인터 ▼ 에 닿았는가?	해당 오브젝트가 선택한 항목과 닿은 경우 '참'으로 판단합니다.
1 ▼ 번째 사람의 얼굴 ▼ 의 x ▼ 좌표	입력한 순서의 사람의 선택한 신체 부위의 위치값입니다.
사람 ▼ 인식 시작하기 ▼	선택한 인식 모델을 동작시키거나 중지시킵니다.

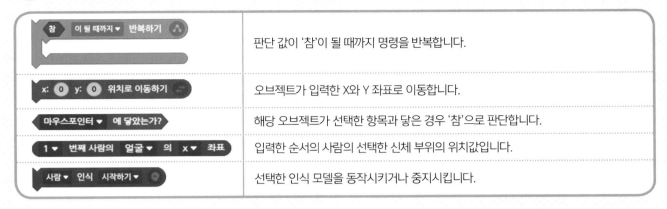

① 'AI 구조 바구니' 이동하기

▶ **AI 구조 바구니 : 사람을 인식하여 사람의 얼굴 위치로 이동하기**

01 [블록]의 [인공지능]에서 [인공지능 블록 불러오기]를 클릭합니다. 이어서 '인공지능 블록 불러오기' 창이 열리면 [비디오 감지]를 선택한 후, [불러오기] 버튼을 클릭합니다.

02 사람의 얼굴을 인식하기 위해 [시작]의 시작하기 버튼을 클릭했을 때 블록과 [인공지능]의 [사람] 인식 [시작하기] 블록을 드래그하여 연결합니다.

03 인식된 사람 얼굴의 위치로 'AI 구조 바구니'를 이동시키기 위해 [흐름]의 계속 반복하기 블록과 [움직임]의 X : 0 위치로 이동하기 블록과 [인공지능]의 0 번째 사람의 0 의 0 좌표 블록을 연결한 후, 목록 단추(▼)를 클릭하여 '1', '얼굴', 'x'를 선택합니다.

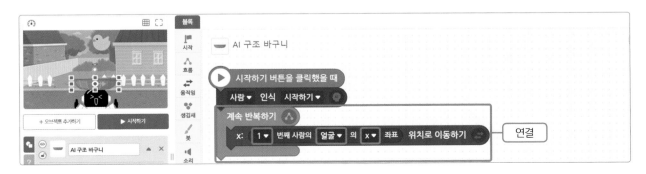

② 구조할 '병아리' 나타내기

▶▶ 병아리 : 하늘에서 날갯짓하며 떨어지는 병아리 표현하기

01 '병아리'가 아래쪽 벽(바닥)에 닿았는지 확인하기 위해 [시작]의 `시작하기 버튼을 클릭했을 때` 블록과 `<참> 이 될 때까지 반복하기` 블록을 드래그하여 연결합니다.

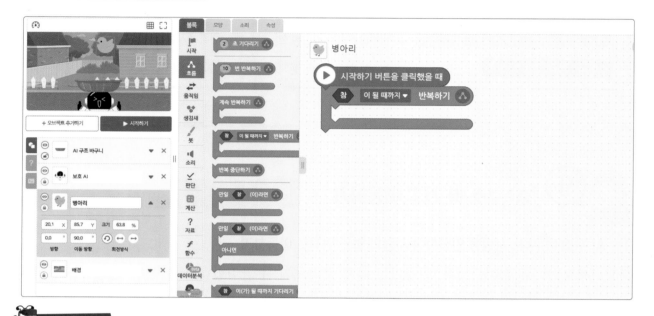

똑똑블록 TIP

[○ 이 될 때까지 반복하기] 블록은 판단이 '참'이 될 때까지 명령을 실행합니다. 여기서 '이 될 때까지'를 '인 동안'으로 바꾸면 판단이 '참'인 동안 명령을 실행하게 합니다.

02 이어서 [판단]의 `○ 에 닿았는가?` 블록을 드래그하여 연결한 후, 목록 단추(▼)를 클릭하여 '아래쪽 벽'을 선택합니다.

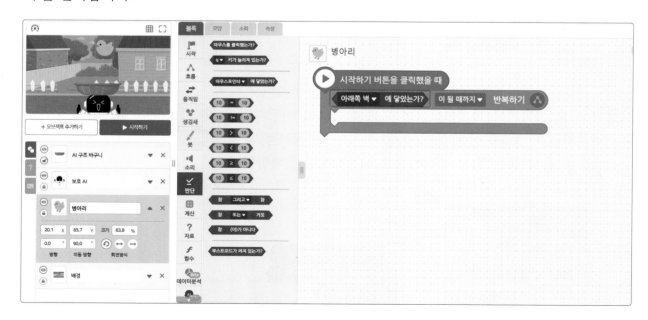

03 '병아리'가 날갯짓하며 아래로 떨어지도록 [생김새]의 [다음] 모양으로 바꾸기 블록과 [움직임]의 y 좌표를 O 만큼 바꾸기 블록을 드래그하여 연결하고, 값에 '−3'을 입력합니다.

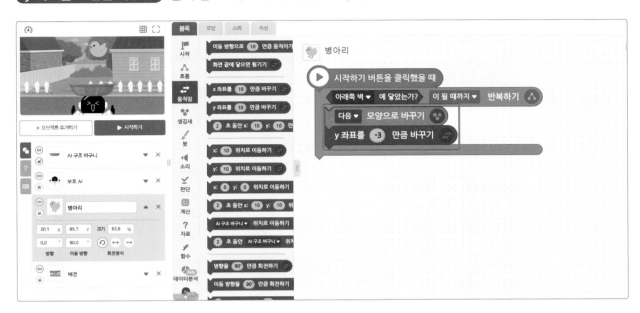

04 '병아리'가 바닥에 떨어지면 프로그램이 종료되도록 [흐름]의 [모든] 코드 멈추기 블록을 드래그하여 연결합니다.

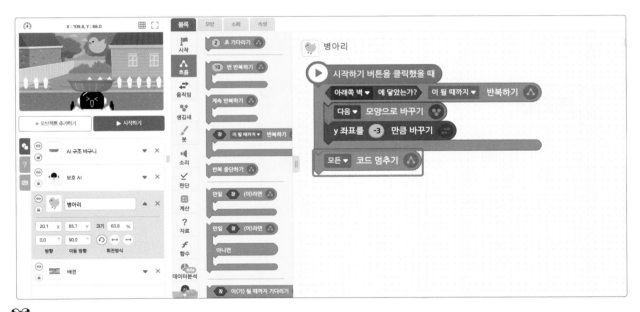

똑똑블록 TIP O 코드 멈추기 블록의 명령 확인하기

'코드 멈추기' 블록은 실행을 멈추게 하는 블록으로 현재 실행 중인 동작을 멈춥니다.

• 모든 코드 멈추기 작품의 모든 블록이 실행을 멈춥니다.
• 자신의 코드 멈추기 해당 오브젝트의 모든 블록이 실행을 멈춥니다.
• 이 코드 멈추기 이 블록이 포함된 블록들이 실행을 멈춥니다.
• 자신의 다른 코드 멈추기 해당 오브젝트 중 이 블록이 포함된 블록들을 제외한 모든 블록이 실행을 멈춥니다.
• 다른 오브젝트의 코드 멈추기 는 다른 오브젝트의 모든 블록이 실행을 멈춥니다.

01 '보호 AI' 오브젝트에 미리 작성되어 있는 코드를 확인해 봅니다.

[▶] 버튼을 눌러 코드를 실행하면 '보호 AI' 오브젝트가 'AI 구조 바구니' 오브젝트를 따라 이동하여 꼭 '보호 AI' 오브젝트가 'AI 구조 바구니'를 머리에 얹고 다니는 것처럼 표현할 수 있습니다.

02 '병아리' 오브젝트에 미리 작성되어 있는 코드를 확인해 봅니다.

[▶] 버튼을 눌러 코드를 실행하면 '병아리' 오브젝트가 아래쪽으로 떨어집니다. 그러다가 'AI 구조 바구니'에 닿으면 지정한 y값(위쪽) 위치로 이동합니다.

'0.1'초를 기다리는 이유는 '병아리'가 'AI 구조 바구니'에 닿았을 때 잠시 기다리도록 하여 서로 정확히 닿았음을 확인하기 위해 사용합니다.

[0부터 0 사이의 무작위 수] 블록은 X 좌표의 위치를 랜덤으로 지정하여 나타나게 할 수 있습니다.

🔲 인공지능 구조하여 보살펴 주고 싶은 동물이 있나요?

◎ 동물 구조 요원은 아프거나 부상을 당한 동물을 구조하여 치료한 후, 자연으로 무사히 돌려보내 주는 일을 합니다. 만약 인공지능 로봇이 동물을 구조하면 위험한 일을 대신 해결해 줄 텐데요.

· 구조하고 싶은 동물이 있다면 다음 빈칸에 써 보세요.

· 만약, 여러분이 AI 동물 구조 요원을 만든다면 어떠한 기능을 하는 인공지능을 만들고 싶은가요? 다음 빈칸에 써 보세요.

나는 똑똑한 AI 개발자

01 '병아리'가 'AI 구조 바구니'에 닿으면 'AI 구조 바구니'가 아래쪽으로 밀렸다 다시 올라와 '병아리'를 구조한 것이 실감 나게 표현되도록 코드를 추가해 봅니다.

> **똑똑 해결 과정**   AI 구조 바구니 : '병아리'에 닿음 → [y 좌표를 ○ 만큼 바꾸기]

⌐ 도움 명령 블록 ⌐ ·····

```
시작하기 버튼을 클릭했을 때
아래쪽 벽 ▼ 에 닿았는가?  이 될 때까지 ▼  반복하기
  다음 ▼  모양으로 바꾸기
  y 좌표를  -3  만큼 바꾸기
모든 ▼  코드 멈추기
```

▲ 병아리

 · y 좌표 값 : '음수(-)'는 아래쪽으로 이동하고, '양수'는 위쪽으로 이동함
· [○ 에 닿는가]와 [좌표를 ○ 만큼 바꾸기] 블록을 사용했을 때, 어떠한 결과가 실행되었는지를 떠올려 미션을 해결하세요.

02 'AI 구조 바구니'가 감지된 사람을 따라 이동하지 않는 오류가 발생했습니다. 코드의 오류를 찾아 감지된 사람을 따라 이동하도록 수정해 봅니다.

 'AI 구조 바구니' 오브젝트 수정

준비물   컴퓨터, 웹캠, 스피커

14 씩씩한 비행 훈련 AI

학습 목표
- '비디오 감지' 기능을 이용하여 비행 훈련을 진행할 수 있습니다.
- 사람의 움직임을 감지하여 비행기를 조종할 수 있습니다.

실습파일 : 14 비행훈련 AI.ent   완성파일 : 14 비행훈련 AI(완성).ent

인공지능 만들기

공중에서 비행 훈련하는 것을 본 적이 있나요? 비행 훈련은 조종사가 비행기를 조종할 수 있도록 연습하는 것을 말하는데요. 이번 시간에는 움직임을 감지하는 '비디오 감지' 기능을 이용하여 실제와 같이 비행 훈련을 할 수 있는 인공지능 프로그램을 만들어 봅니다.

'비디오 감지' 기능으로 사람의 움직임을 감지하여 비행 훈련을 할 수 있습니다.

활용 인공지능 📷
비디오 감지 : 카메라를 이용하여 사람(신체), 얼굴, 사물 등을 인식합니다.

'▶ 시작하기' 클릭

사람 인식

'AI 훈련 비행기'
얼굴의 y 좌표로 이동

'배경1', '배경2'
오른쪽에서 왼쪽으로 이동

'전투기'
오른쪽에서 왼쪽으로 이동

'AI 훈련 비행기'
닿음

'전투기'
전투기 폭파 모양으로 바꾸기

탱크 포화 소리 재생

모든 코드 멈추기

● '비디오 감지' 기술 미리보기

[▶] 버튼을 눌러 코드를 실행하면 오른쪽에서 왼쪽으로 '전투기'와 '배경1', '배경2'가 지나갑니다.

'비디오 감지' 기능으로 움직임을 감지하면 'AI 훈련 비행기'가 위아래로 움직입니다.

'전투기'가 'AI 훈련 비행기'에 닿으면 폭발 소리를 내며 폭파됩니다.

주요 블록 알아보기

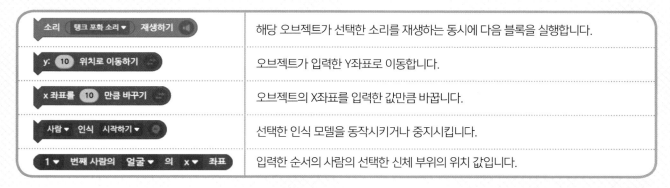

소리 탱크 포화 소리 ▼ 재생하기	해당 오브젝트가 선택한 소리를 재생하는 동시에 다음 블록을 실행합니다.
y: 10 위치로 이동하기	오브젝트가 입력한 Y좌표로 이동합니다.
x 좌표를 10 만큼 바꾸기	오브젝트의 X좌표를 입력한 값만큼 바꿉니다.
사람 ▼ 인식 시작하기 ▼	선택한 인식 모델을 동작시키거나 중지시킵니다.
1 ▼ 번째 사람의 얼굴 ▼ 의 x ▼ 좌표	입력한 순서의 사람의 선택한 신체 부위의 위치 값입니다.

 AI 훈련 비행기 이동하기

▶▶ AI 훈련 비행기 : 사람을 인식하여 사람의 '얼굴' 위치로 이동하기

01 [블록]의 [인공지능]에서 [인공지능 블록 불러오기]를 클릭합니다. '인공지능 블록 불러오기' 창이 열리면 [비디오 감지]를 선택한 후 [불러오기] 버튼을 클릭합니다.

02 사람의 얼굴을 인식하기 위해 [시작]의 시작하기 버튼을 클릭했을 때 블록과 [인공지능]의 [사람] 인식 [시작하기] 블록을 드래그하여 연결합니다.

03 인식된 사람 얼굴의 위치로 'AI 훈련 비행기'를 이동하기 위해 [흐름]의 계속 반복하기 블록과 [움직임]의 y : 0 위치로 이동하기 블록과 [인공지능]의 0 번째 사람의 0 의 0 좌표 블록을 연결합니다. 그리고 목록 단추(▼)를 클릭하여 '1', '얼굴', 'y'를 선택합니다.

② 지나가는 전투기 표현하기

▶ 전투기 : 오른쪽에서 왼쪽으로 지나가다가 왼쪽 벽에 닿으면 다시 오른쪽으로 이동하기

01 '왼쪽 벽'에 닿았는지 확인하기 위해 [시작]의 `시작하기 버튼을 클릭했을 때` 블록과 `계속 반복하기` 블록과 `<참> 이 될 때까지 반복하기` 블록을 드래그하여 연결합니다.

02 [판단]의 `○ 에 닿았는가?` 블록과 [움직임]의 `x 좌표를 ○ 만큼 바꾸기` 블록을 연결한 후, 목록 단추 (▼)를 클릭하여 '왼쪽 벽'을 선택하고, 값에 '-3'을 입력합니다.

03 '전투기'가 오른쪽으로 랜덤 위치로 이동하도록 [움직임]의 `x: ○ y: ○ 위치로 이동하기` 블록과 [계산]의 `○ 부터 ○ 사이의 무작위 수` 블록을 드래그하여 연결합니다. 그리고 x 위치값에 '300', 랜덤 위치값에 '-120', '120'을 입력합니다.

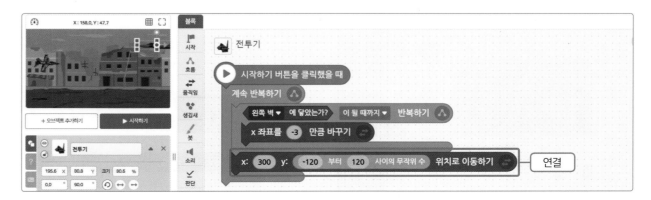

3 전투기 폭파하기

▶ **전투기 : 이동하다가 'AI 훈련 비행기'에 닿으면 폭파되는 모습 표현하기**

01 'AI 훈련 비행기'에 닿을 때까지 기다리도록 [시작]의 시작하기 버튼을 클릭했을 때 블록과 [흐름]의 O 이(가) 될 때까지 기다리기 블록과 [판단]의 O 에 닿았는가? 블록을 드래그하여 연결합니다. 그리고 목록 단추(▼)를 클릭하여 'AI 훈련 비행기'를 선택합니다.

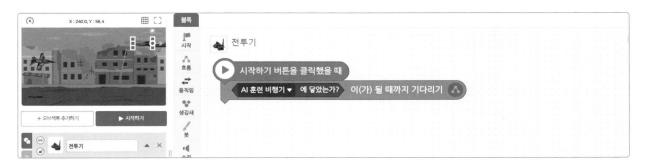

02 'AI 훈련 비행기'에 닿으면 폭파하는 모습을 표현하기 위해 [생김새]의 O 모양으로 바꾸기 블록과 [소리]의 소리 [탱크 포화 소리] 재생하기 블록을 드래그하여 연결합니다. 그리고 목록 단추(▼)를 클릭하여 '전투기 폭파'를 선택합니다.

03 프로그램을 종료하기 위해 [흐름]의 O 초 기다리기 블록과 [모든] 코드 멈추기 블록을 드래그하여 연결한 후 시간값에 '0.1'를 입력합니다.

01 '배경1' 오브젝트에 미리 작성되어 있는 코드를 확인해 봅니다.

> ▶ 시작하기 버튼을 클릭했을 때
> x: 0 y: 0 위치로 이동하기
> 계속 반복하기
> 　　배경1 ▼ 의 x좌푯값 ▼ < -470 이 될 때까지 ▼ 반복하기
> 　　x 좌표를 -3 만큼 바꾸기
> 　　x: 470 y: 0 위치로 이동하기

[▶] 버튼을 눌러 코드를 실행하면 '배경1' 오브젝트가 왼쪽으로 이동합니다. 왼쪽으로 이동하다 x 좌표가 '-470' 위치가 되면 오른쪽 끝으로 다시 이동합니다.

02 '배경2' 오브젝트에 미리 작성되어 있는 코드를 확인해 봅니다.

> ▶ 시작하기 버튼을 클릭했을 때 ❶
> 좌우 모양 뒤집기
> x: 480 y: 0 위치로 이동하기
> 계속 반복하기
> 　　배경2 ▼ 의 x좌푯값 ▼ < -470 이 될 때까지 ▼ 반복하기 　❷
> 　　x 좌표를 -3 만큼 바꾸기
> 　　x: 470 y: 0 위치로 이동하기

❶ [▶] 버튼을 눌러 코드를 실행하면 '배경2'의 모양을 좌우로 뒤집어 '배경1'과 이어지는 느낌을 표현합니다.

❷ 오른쪽 끝에서 왼쪽으로 이동하다 x 좌표가 '-470' 위치가 되면 오른쪽 끝으로 다시 이동합니다.

'배경1'과 '배경2'가 계속 오른쪽에서 왼쪽으로 이동하면 'AI 훈련 비행기'와 '전투기'가 오른쪽을 향해 비행하는 모습이 표현됩니다.

 **MISSION** 나는 똑똑한 AI 개발자

똑똑한 코딩 더하기
실습파일 : 14 비행훈련 AI_더하기.ent   완성파일 : 14 비행훈련 AI_더하기(완성).ent

01 'AI 훈련 비행기'도 '전투기'와 같이 닿으면 폭파되도록 코드를 추가해 봅니다.

| 똑똑 해결 과정 | AI 훈련 비행기 : '전투기'에 닿음 → '비행기 폭파' 모양으로 바꾸기 |

도움 명령 블록 ....

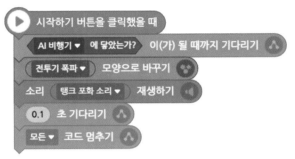

▲ 전투기

더하기 HINT [○에 닿았는가]와 [○ 모양으로 바꾸기] 블록을 사용했을 때, 어떠한 결과가 실행되었는지를 떠올려 미션을 해결하세요.

똑똑한 코딩 디버깅
실습파일 : 14 비행훈련 AI_디버깅.ent   완성파일 : 14 비행훈련 AI_디버깅(완성).ent

02 '전투기'가 위아래로 이동하지 않고 항상 같은 자리에서 나타나는 오류가 발생했습니다. 코드의 오류를 찾아 '전투기'가 랜덤의 위치에서 나타나도록 수정해 봅니다.

디버깅 HINT '전투기' 오브젝트 수정

15 헤딩하는 AI 축구 선수

준비물 컴퓨터, 웹캠

학습목표
- '비디오 감지' 기능을 이용하여 헤딩 연습 게임을 진행할 수 있습니다.
- 사람의 움직임을 감지하여 머리로 축구공을 받을 수 있습니다.

실습파일 : 15 AI 축구선수.ent   완성파일 : 15 AI 축구선수(완성).ent

인공지능 만들기

축구 선수들이 축구공을 머리에서 떨어뜨리지 않고 계속 헤딩하는 묘기를 본 적이 있나요? 이번 시간에는 움직임을 감지하는 '비디오 감지' 기능을 이용하여 축구공으로 헤딩을 연습할 수 있는 인공지능 프로그램을 만들어 봅니다.

활용 인공지능
비디오 감지 : 카메라를 이용하여 사람(신체), 얼굴, 사물 등을 인식합니다.

'비디오 감지' 기능으로 사람의 움직임을 감지하여 '축구공'을 떨어뜨리지 않고 헤딩하는 연습을 할 수 있습니다.

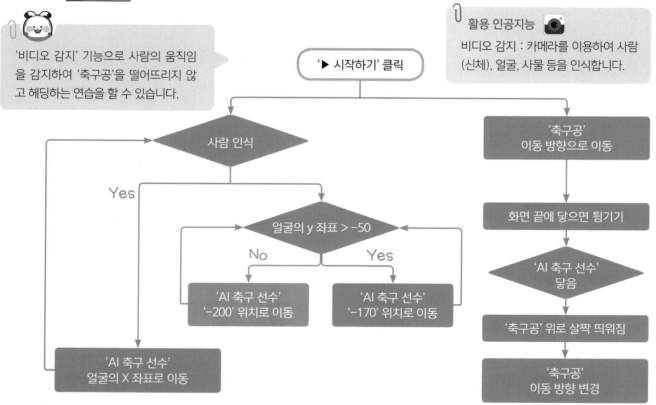

'▶ 시작하기' 클릭

사람 인식 — Yes → 'AI 축구 선수' 얼굴의 X 좌표로 이동
얼굴의 y 좌표 > -50
No → 'AI 축구 선수' '-200' 위치로 이동
Yes → 'AI 축구 선수' '-170' 위치로 이동

'축구공' 이동 방향으로 이동
화면 끝에 닿으면 튕기기
'AI 축구 선수' 닿음
'축구공' 위로 살짝 띄워짐
'축구공' 이동 방향 변경

'비디오 감지' 기술 미리보기

[▶] 버튼을 눌러 코드를 실행하면 '축구공'이 아래로 떨어집니다.

'비디오 감지' 기능으로 움직임을 감지하면 'AI 축구 선수'가 좌우로 이동합니다.

'비디오 감지' 기능으로 움직임을 감지하면 'AI 축구 선수'가 위아래로 이동합니다.

● 주요 블록 알아보기

축구공 ▼ 의 이동방향 ▼	선택한 오브젝트의 이동 방향을 확인할 수 있습니다.
이동 방향을 90° (으)로 정하기	오브젝트의 이동 방향을 입력한 각도로 정합니다.
화면 끝에 닿으면 튕기기	오브젝트가 실행화면 끝에 닿으면 튕겨 나옵니다.
이동 방향으로 10 만큼 움직이기	입력한 값만큼 오브젝트의 이동 방향으로 이동합니다.
사람 ▼ 인식 시작하기 ▼	선택한 모델을 동작시키거나 중지합니다.
1 ▼ 번째 사람의 얼굴 ▼ 의 x ▼ 좌표	입력한 순서의 사람의 선택한 신체 부위의 위치 값입니다.

 **1** **'AI 축구 선수' 이동하기**

▶▶ **AI 축구 선수 : 사람을 인식하여 사람의 얼굴 위치로 x 좌표 이동하기**

01 사람의 얼굴을 인식하기 위해 [시작]의 시작하기 버튼을 클릭했을 때 블록과 [인공지능]의 [사람] 인식 [시작하기] 블록을 드래그하여 연결합니다.

02 인식된 사람 얼굴의 위치로 'AI 축구 선수'를 이동하기 위해 [흐름]의 계속 반복하기 블록과 [움직임]의 x : 0 위치로 이동하기 블록을 연결합니다.

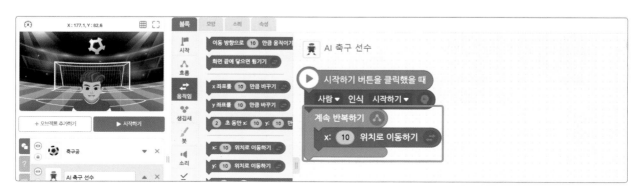

03 이어서 [인공지능]의 <u>O 번째 사람의 O 의 O 좌표</u> 블록 연결한 후, 목록 단추(▼)를 클릭하여 '1', '얼굴', 'x'를 선택합니다.

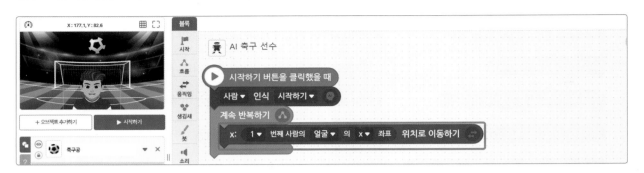

 ② AI 축구 선수 점프하기

▶▶ **AI 축구 선수 : 사람을 인식하여 사람의 얼굴 위치로 y 좌표를 이동하여 점프 표현하기**

01 축구 선수가 점프를 하기 위해 [시작]의 <u>시작하기 버튼을 클릭했을 때</u> 블록과 <u>계속 반복하기</u> 블록과 <u>만일 O (이)라면</u> 블록을 드래그하여 연결합니다.

02 [판단]의 <u>O > O</u> 블록과 [인공지능]의 <u>O 번째 사람의 O 의 O 좌표</u> 블록을 연결한 후, 목록 단추(▼)를 클릭하여 '1', '얼굴', 'y'를 선택하고, 값에 '-50'을 입력합니다.

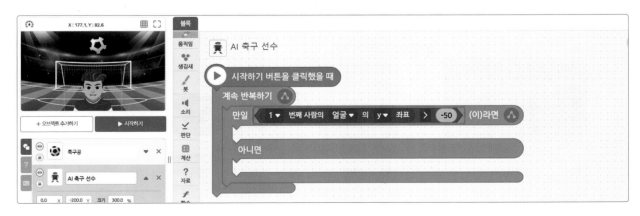

03 [움직임]의 `y: 0 위치로 이동하기` 블록을 드래그하여 연결하고, 값에 '-170', '-200'을 입력합니다.

01 '축구공' 오브젝트에 미리 작성되어 있는 코드를 확인해 봅니다.

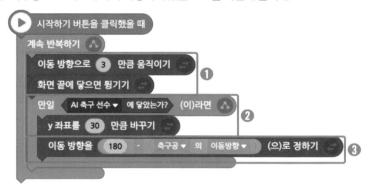

[▶] 버튼을 눌러 코드를 실행하면 다음 명령을 반복합니다.

❶ 이동 방향으로 이동하다가 화면 끝에 닿으면 '축구공'이 튕깁니다.

❷ 'AI 축구 선수'에 닿으면 위쪽으로 조금 이동하여 '축구공'이 튕긴 모습을 표현합니다.

❸ 아래쪽 방향인 '180도'에서 '축구공'의 '이동방향'을 빼면, 아래쪽으로 내려오던 '축구공'의 이동 방향을 위쪽으로 변경하여 위쪽으로 날아갈 수 있도록 합니다.

[▶] 버튼을 눌러 코드를 실행한 후 '축구공'이 아래쪽으로 떨어지면 프로그램을 종료합니다.

똑똑한 코딩 더하기

실습파일 : 15 AI 축구선수_더하기.ent   완성파일 : 15 AI 축구선수_더하기(완성).ent

01 '축구공'이 'AI 축구 선수'에 닿으면 색을 변경하고, 소리가 재생되도록 코드를 추가해 봅니다.

똑똑 해결 과정	축구공 : 'AI 축구 선수'에 닿음 → '색깔' 효과 적용 → 소리 재생

도움 명령 블록 ......

```
▶ 시작하기 버튼을 클릭했을 때
계속 반복하기
   이동 방향으로 3 만큼 움직이기
   화면 끝에 닿으면 튕기기
   만일  AI 축구 선수 ▼  에 닿았는가?  (이)라면
      y 좌표를 30 만큼 바꾸기
      이동 방향을 180 - 축구공 ▼ 의 이동방향 ▼ (으)로 정하기
```

▲ 축구공

더하기 HINT 제시된 '도움 명령 블록'에 [색깔 효과를 ○ 만큼 주기]와 [효과 지우기], [소리 ○ 재생하기] 블록을 추가했을 때, 어떠한 결과가 실행될지를 떠올려 미션을 해결하세요.

똑똑한 코딩 디버깅

실습파일 : 15 AI 축구선수_디버깅.ent   완성파일 : 15 AI 축구선수_디버깅(완성).ent

02 'AI 축구 선수'가 비디오로 감지된 얼굴을 따라 이동하지 않는 오류가 발생했습니다. 코드의 오류를 찾아 'AI 축구 선수'가 얼굴을 따라 이동하도록 수정해 봅니다.

디버깅 HINT 'AI 축구 선수' 오브젝트 수정

16 똑똑한 AI 통역사

• '번역' 기능을 사용하여 한국어를 다른 언어로 통역할 수 있습니다.
• 통역한 내용을 음성으로 재생할 수 있습니다.

실습파일 : 16 통역 AI.ent　　완성파일 : 16 통역 AI(완성).ent

인공지능 만들기

네이버나 구글의 번역 프로그램을 사용해 본 적이 있나요? 이번 시간에는 음성이나 문자로 된 언어를 자동으로 번역해 주는 '번역' 기능을 이용하여 궁금한 단어나 문장의 뜻을 통역해 주는 프로그램을 만들어 봅니다.

'AI 통역 로봇'을 클릭하면 사용 방법이 음성으로 재생되고, 입력한 글자가 영어로 번역되어 음성으로 재생됩니다.

활용 인공지능

• 번역 : 파파고를 이용하여 다른 언어로 번역합니다.
• 읽어주기 : 메시지를 음성으로 재생합니다. 이때 음성은 다양한 형태로 바꿀 수 있습니다.

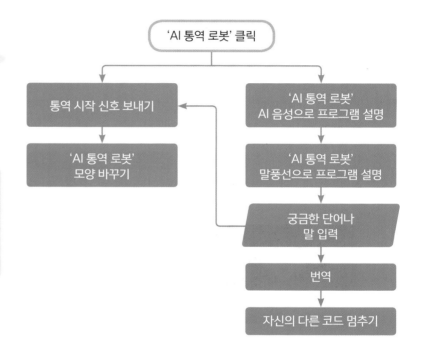

● '번역', '읽어주기' 기술 미리보기

'AI 통역 로봇'을 클릭하면 번역 방법이 음성으로 재생됩니다.

궁금한 단어나 말을 빈칸에 입력합니다.

확인 [∨] 버튼을 누르면 'AI 통역 로봇'이 설정한 언어로 번역하여 읽어줍니다.

주요 블록 알아보기

안녕! 과(와) 엔트리 를 합치기	입력한 두 값을 결합한 값입니다.
대답	사용자가 입력한 '대답 창'에 입력한 값입니다.
대답 숨기기 ▼ ?	'대답 창'을 실행화면에서 숨기거나 보이게 합니다.
엔트리 읽어주고 기다리기	입력한 문자값을 읽어 준 후, 다음 블록을 실행합니다.
한국어 ▼ 엔트리 을(를) 영어 ▼ 로 번역하기	입력한 문자값을 선택한 언어로 번역합니다.

 ① 통역 방법을 안내하고 시작하기

▶▶ AI 통역 로봇 : 프로그램 사용 방법을 설명한 후, 입력된 글 통역하기

01 [블록]의 [인공지능]에서 [인공지능 블록 불러오기]를 클릭합니다. '인공지능 블록 불러오기' 창이 열리면 [읽어주기], [번역]을 선택한 후, [불러오기] 버튼을 클릭합니다.

02 신호를 보내기 위해 [시작]의 [오브젝트를 클릭했을 때] 블록과 [○ 신호 보내기] 블록을 드래그하여 연결한 후, 목록 단추(▼)를 클릭하여 '통역 시작'을 선택합니다.

03 프로그램을 설명하기 위해 [생김새]의 [○ 말하기] 블록과 [인공지능]의 [○ 읽어주고 기다리기] 블록을 드래그하여 연결한 후, 글자 입력 칸에 "AI 통역기입니다.", "궁금한 단어나 말을 입력하세요."를 입력합니다.

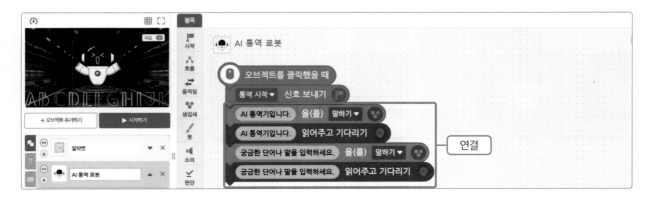

04 설명을 멈추고, 질문하기 위해 [생김새]의 ⬚말하기 지우기⬚ 블록과 [자료]의 ⬚O을(를) 묻고 대답 기다리기⬚ 블록을 드래그하여 연결한 후, 글자 입력 칸에 "궁금한 단어나 말을 입력하세요."를 입력합니다.

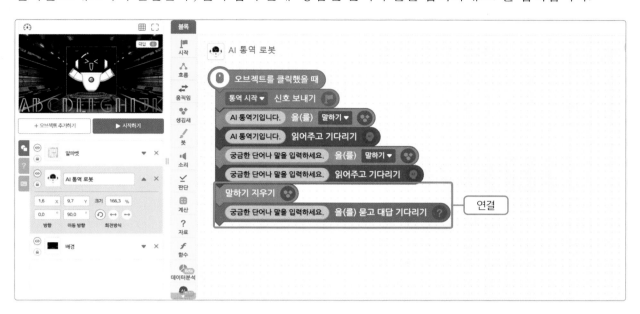

05 신호를 보내고 번역을 읽어주기 위해 [시작]의 ⬚O 신호 보내기⬚ 블록과 [인공지능]의 ⬚O 읽어주고 기다리기⬚ 블록을 드래그하여 연결한 후, 목록 단추(▼)를 클릭하여 '통역 시작'을 선택합니다.

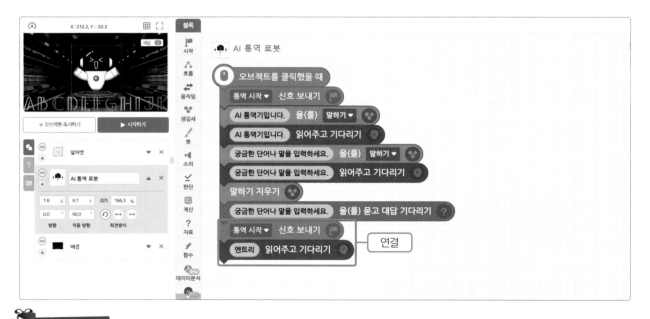

똑똑블록 TIP

⬚말하기 지우기⬚ 블록은 화면에 출력된 말풍선을 지웁니다.

06 입력한 단어나 말을 번역하기 위해 [계산]의 O 과(와) O를 합치기 블록 3개를 드래그하여 연결합니다.

07 맨 왼쪽칸에 [자료]의 대답 블록을 끼워 넣고, "의 영어는"을 입력합니다.

08 [인공지능]의 O O을(를) O로 번역하기 블록을 드래그하여 연결합니다. 그리고 왼쪽 칸에는 [자료]의 대답 블록을 끼워 넣고, 오른쪽 칸에는 "입니다."를 입력합니다.

09 변역하기 블록의 목록 단추(▼)를 클릭하여 '한국어', '영어'를 선택합니다.

![블록 코드 화면 1]

뚝뚝블록 **TIP**

· 블록 2개를 합치는 모습

· 블록 3개를 합치는 모습

10 번역을 멈추기 위해 [흐름]의 O 코드 멈추기 블록을 드래그하여 연결한 후, 목록 단추(▼)를 클릭하여 '자신이 다른'을 선택합니다.

![블록 코드 화면 2]

② 통역할 때 모양 바꾸기

▶▶ AI 통역 로봇 : 통역 시작 신호를 받으면 모양 바꾸기

01 모양을 바꾸기 위해 [시작]의 **O 신호를 받았을 때** 블록과 [흐름]의 **O 번 반복하기** 블록과 [생김새]의 **[다음] 모양으로 바꾸기** 블록과 [흐름]의 **O 초 기다리기** 블록을 드래그하여 연결합니다. 그리고 횟수에는 '20', 시간값에는 '0.2'를 입력합니다.

똑똑블록 TIP 명령 블록 확인하기 〜〜〜〜〜〜〜〜〜〜〜〜〜〜〜〜〜〜〜〜〜〜〜〜〜〜〜〜〜〜〜〜〜〜〜〜

01 'AI 통역 로봇' 오브젝트에 미리 작성되어 있는 코드를 확인해 봅니다.

[▶] 버튼을 눌러 코드를 실행하면 화면에 표시된 '대답'을 숨깁니다.
* '대답'은 [O 을(를) 묻고 대답 기다리기] 블록을 사용하면 자동으로 나타납니다.

[▶] 버튼을 눌러 코드를 실행하면 'AI 통역 로봇'의 모습이 차렷 자세('AI 로봇1' 모양)로 바뀝니다.

인공지능 AI가 통역사와 함께 여행가고 싶은 나라가 있나요? 〜〜〜〜〜〜〜〜〜〜〜〜〜〜〜〜〜〜〜〜〜〜

◎ 다른 나라의 언어를 우리나라의 언어로 통역해 주는 AI와 함께 다니면 편리한 점이 많을 것 같아요.

· AI 통역사와 함께 여행가고 싶은 나라가 있다면 다음 빈칸에 써 보세요.

⋯⋯⋯

⋯⋯⋯

· 만약, 여러분이 AI 통역사를 만든다면 어떠한 기능을 하는 인공지능을 만들고 싶은가요? 다음 빈칸에 써 보세요.

⋯⋯⋯

⋯⋯⋯

나는 똑똑한 AI 개발자

똑똑한 코딩 더하기

실습파일 : 16 통역 AI_더하기.ent   완성파일 : 16 통역 AI_더하기(완성).ent

01 프로그램이 실행되면 '배경'이 랜덤으로 깜박이도록 코드를 추가해 봅니다.

똑똑 해결 과정	배경 : '시작하기 버튼' 클릭 → '투명도' 효과 적용 → 랜덤 시간 기다리기

도움 명령 블록

```
시작하기 버튼을 클릭했을 때
계속 반복하기
    투명도▼ 효과를 10 (으)로 정하기
    0.1 부터 0.5 사이의 무작위 수 초 기다리기
```

▲ 배경

더하기 HINT 제시된 '도움 명령 블록'에 [○ 효과를 ○ (으)로 정하기]와 [○ 초 기다리기] 블록을 추가했을 때, 어떠한 결과가 실행될지를 떠올려 미션을 해결하세요.

똑똑한 코딩 디버깅

실습파일 : 16 통역 AI_디버깅.ent   완성파일 : 16 통역 AI_디버깅(완성).ent

02 'AI 통역 로봇'이 통역을 할 때, "의 영어는" ~ "입니다."를 읽지 않는 오류가 발생했습니다. 코드의 오류를 찾아 'AI 통역 로봇'이 번역 결과를 잘 나타낼 수 있게 수정해 봅니다.

디버깅 HINT 'AI 통역 로봇' 오브젝트 수정

분류:이미지, 분류:텍스트,
분류:음성, 분류:숫자

2

머신러닝
모델 만들기

분류 : 이미지

분류 : 텍스트

분류 : 음성

분류 : 숫자

17 AI 게임-가위바위보

준비물 컴퓨터, 웹캠, 스피커

 학습목표
- '가위', '바위', '보'를 모델 학습시킬 수 있습니다.
- 모델 학습한 AI와 '가위바위보' 게임을 진행할 수 있습니다.

실습파일 : 17 가위바위보 AI.ent　　완성파일 : 17 가위바위보 AI(완성).ent

인공지능 만들기

이미지 인식이라는 말을 들어 본 적이 있나요? 인공지능에 이미지를 모델 학습시킨 후, 그 정보를 사용하는 것을 말합니다. 이번 시간에는 '분류 : 이미지' 기능을 이용하여 '가위바위보' 인공지능 프로그램을 만들어 봅니다.

'버튼'을 클릭하면 데이터 입력 창이 열려 '가위, 바위, 보'를 입력 받은 후 분류 결과로 승부를 알려줍니다.

 활용 인공지능
- 분류:이미지 : 업로드 또는 웹캠으로 촬영한 이미지를 분류할 수 있는 모델을 학습합니다.
- 읽어주기 : 메시지를 음성으로 재생합니다.

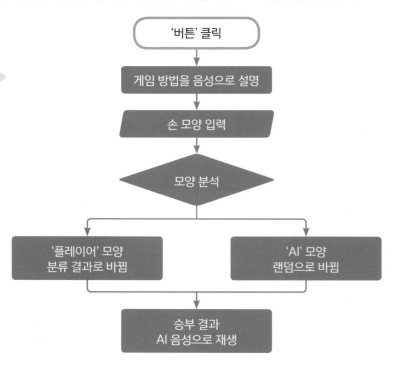

'버튼' 클릭
↓
게임 방법을 음성으로 설명
↓
손 모양 입력
↓
모양 분석
↓
'플레이어' 모양　　'AI' 모양
분류 결과로 바뀜　　랜덤으로 바뀜
↓
승부 결과
AI 음성으로 재생

● '분류 : 이미지' 모델 기술 미리보기

[▶] 버튼을 누르면 게임 시작 준비 화면이 나타납니다.

'버튼'을 클릭하면 게임 방법을 설명한 후 입력 창이 열려 '가위, 바위, 보'를 입력 받습니다.

입력된 분류 결과와 랜덤으로 출력된 '가위, 바위, 보'를 비교하여 결과를 알려 줍니다.

● 주요 블록 알아보기

엔트리 라고 글쓰기 (가)	글상자의 내용을 입력한 값으로 고쳐 씁니다.
텍스트 모두 지우기 (가)	글상자의 내용을 모두 지웁니다.
플레이어 ▼ 의 모양 이름 ▼	선택한 오브젝트의 모양번호 값입니다.
분류 결과	입력한 데이터를 모델에서 인식한 결과 값입니다.
학습한 모델로 분류하기 ◉	데이터를 입력하고 학습한 모델로 인식합니다.
엔트리 읽어주고 기다리기 ◉	입력한 문자값을 읽어준 후 다음 블록을 실행합니다.

 ### 이미지 데이터 기록하기

▶ 모델 학습 : '가위, 바위, 보' 이미지를 모델 학습하기

01 [블록]의 [인공지능]에서 [인공지능 블록 불러오기]를 클릭합니다. '인공지능 블록 불러오기' 창이 열리면 [읽어주기]를 선택한 후 [불러오기] 버튼을 클릭합니다.

02 [블록]의 [인공지능]에서 [인공지능 모델 학습하기]를 클릭합니다. '학습할 모델 선택하기' 창이 열리면 [새로 만들기]의 [분류 : 이미지]를 선택한 후 [학습하기] 버튼을 클릭합니다.

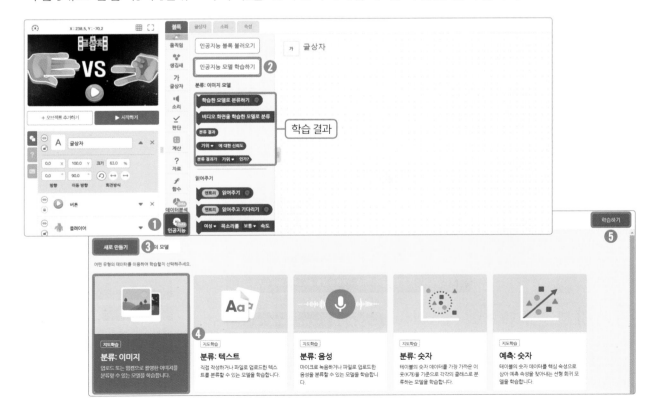

03 '분류 : 이미지 모델 학습하기' 창이 열리면 학습 이름(가위 바위 보)을 입력합니다.

04 학습시킬 데이터를 입력하기 위해 데이터 이름(가위)을 입력합니다.

05 이미지 데이터를 입력하기 위해 목록 단추(▼)를 클릭하여 '촬영'을 선택합니다.

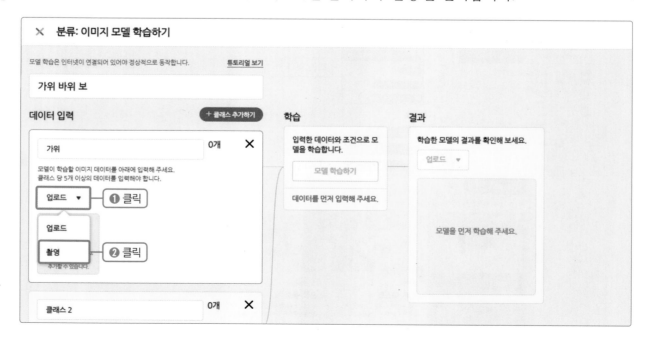

06 카메라가 켜지면 '가위' 모습을 화면에 나타나게 하고, [카메라] 버튼을 클릭하여 이미지 데이터를 기록합니다.

07 **06**과 같은 방법으로 이미지 데이터를 5장 이상 촬영하여 기록합니다.

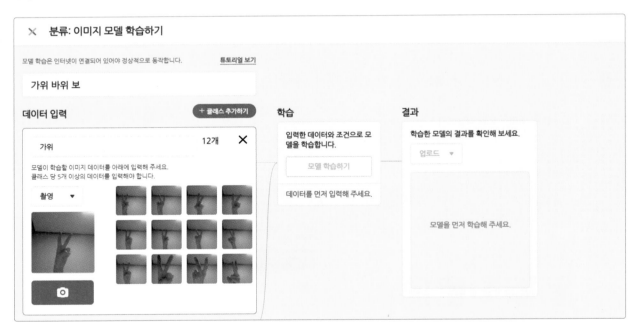

인공지능**TIP**
이미지 데이터가 많을수록 인공지능의 학습 결과가 정확해지므로 이미지 데이터를 가능한 대로 많이 입력해 봅니다.

08 **06~07**과 같은 방법으로 '바위'를 입력한 후, 이미지 데이터를 촬영하여 기록합니다.

09 [+ 클래스 추가하기] 버튼을 클릭한 후, 위와 같은 방법으로 '보'를 입력하여 이미지 데이터를 기록합니다.

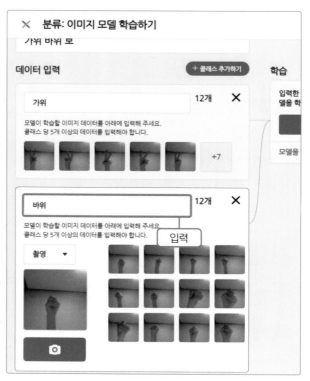

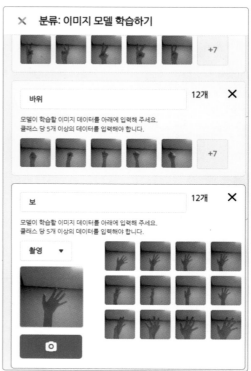

10 이미지 데이터가 잘 기록되었는지 확인하기 위해 [모델 학습하기] 버튼을 클릭합니다.

11 모델 학습을 완료하면 결과를 확인하기 위해 목록 단추(▼)를 클릭하여 '촬영'을 선택합니다.

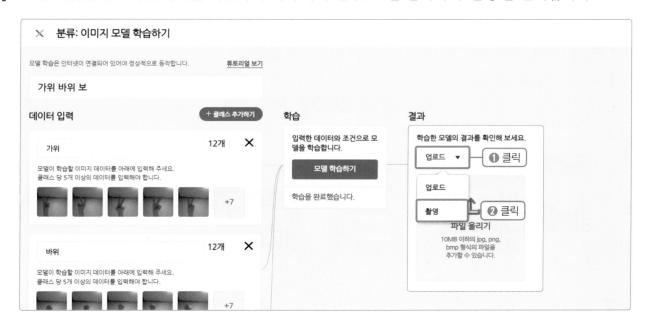

12 카메라가 켜지면 '가위', '바위', '보'를 하나씩 번갈아가며 화면에 보이고, 결과가 맞는지 '%'를 확인합니다.

13 결과가 맞으면 [적용하기] 버튼을 클릭하여 모델 학습을 완료한 블록을 불러옵니다.

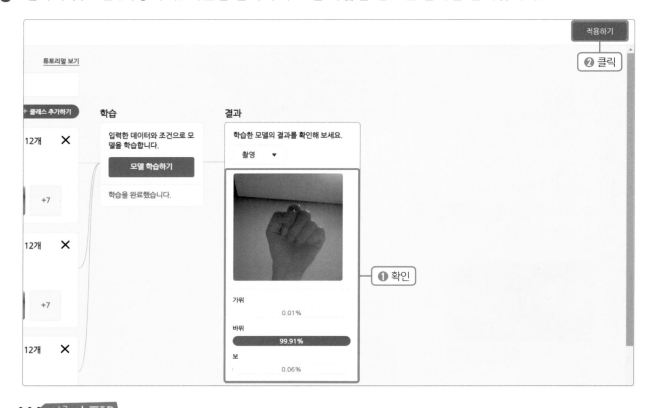

인공지능 **TIP**

학습 결과를 확인하여 입력한 데이터와 일치하는 확률(%)의 수치가 적게 나타날 경우, 다시 모델 학습하기를 진행하여 결과를 확인해 봅니다.

② 학습한 모델 분류하기

▶▶ 버튼 : '가위바위보' 게임 방법을 설명한 후, 학습한 모델 분류하기

01 실행 화면에 게임하는 방법을 나타내기 위해 [시작]의 오브젝트를 클릭했을 때 블록과 [생김새]의 모양 숨기기 블록과 [시작]의 O 신호 보내기 블록을 드래그하여 연결한 후, 목록 단추(▼)를 클릭하여 '게임 방법 설명'을 선택합니다.

02 게임 설명을 음성으로 재생하기 위해 [인공지능]의 O 읽어주고 기다리기 블록을 4개 드래그하여 연결한 후, 텍스트에 "가위바위보 게임을 시작합니다.", "데이터 입력 창이 열리면", "가위 바위 보 중에", "하나를 골라 화면으로 촬영합니다."를 입력합니다.

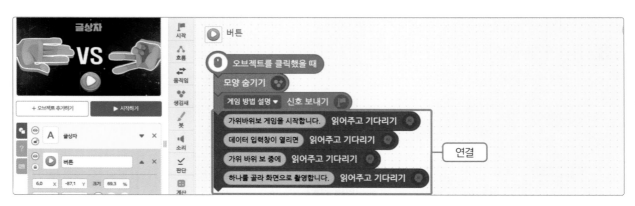

03 플레이어가 데이터 입력 창에 내민 모델을 분류하기 위해 [인공지능]의 학습한 모델로 분류하기 블록과 [시작]의 O 신호 보내기 블록을 드래그하여 연결한 후, 목록 단추(▼)를 클릭하여 '게임 시작'을 선택합니다.

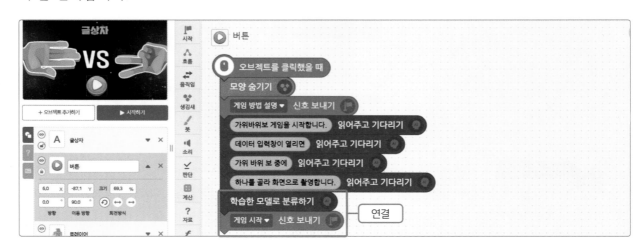

③ 분류 결과 확인하기

▶▶ 플레이어 : 분류 결과로 플레이어 모양을 바꾸기

01 플레이어가 내민 모델을 실행 화면에 나타내기 위해 [시작]의 `○ 신호를 받았을 때` 블록과 [생김새]의 `○ 모양으로 바꾸기` 블록과 `모양 보이기` 블록을 연결한 후, 목록 단추(▼)를 클릭하여 '게임 시작'을 선택합니다. 그리고 [인공지능]의 `분류 결과` 블록을 끼워 넣습니다.

똑똑블록 TIP 명령 블록 알아보기

01 '글상자' 오브젝트에 미리 작성되어 있는 코드를 확인해 봅니다.

> 시작하기 버튼을 클릭했을 때
> 텍스트 모두 지우기 가

[▶] 버튼을 눌러 코드를 실행하면 화면에 출력된 '글상자'의 텍스트를 모두 지웁니다.

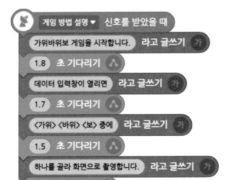

'게임 방법 설명' 신호를 받으면 게임 방법을 화면에 출력한 후, 모두 지웁니다.

02 '플레이어' 오브젝트에 미리 작성되어 있는 코드를 확인해 봅니다.

[▶] 버튼을 눌러 코드를 실행하면 '플레이어'의 오브젝트가 'AI'의 오브젝트와 구분되도록 '색깔' 효과를 설정합니다.

03 'AI' 오브젝트에 미리 작성되어 있는 코드를 확인해 봅니다.

[▶] 버튼을 눌러 코드를 실행하면 '플레이어' 오브젝트가 모델 학습하는 동안 'AI' 오브젝트가 나타나지 않도록 모양을 화면에서 숨깁니다.

04 'AI' 오브젝트에 미리 작성되어 있는 코드를 확인해 봅니다.

❶ '게임 시작' 신호를 받으면 'AI' 오브젝트의 모양을 '가위', '바위', '보' 중 랜덤으로 선택하고, 그 결과를 화면에 나타냅니다.

❷ 'AI' 오브젝트의 모양이 '가위'일 경우 '플레이어'의 학습 결과가 '가위'라면 "무승부입니다."를, '바위'라면 "플레이어가 이겼습니다."를, '보'라면 "AI가 이겼습니다."를 읽어주고 기다립니다.

❸ 'AI' 오브젝트의 모양이 '바위'일 경우 '플레이어'의 학습 결과가 '가위'라면 "AI가 이겼습니다."를, '바위'라면 "무승부입니다."를, '보'라면 "플레이어가 이겼습니다."를 읽어주고 기다립니다.

❹ 'AI' 오브젝트의 모양이 '보'일 경우 '플레이어'의 학습 결과가 '가위'라면 "플레이어가 이겼습니다."를, '바위'라면 "AI가 이겼습니다."를, '보'라면 "무승부입니다."를 읽어주고 기다립니다.

나는 똑똑한 AI 개발자

똑똑한 코딩 더하기

실습파일 : 17 가위바위보 AI_더하기.ent   완성파일 : 17 가위바위보 AI_더하기(완성).ent

01 신호를 생성하여 '글상자' 오브젝트에 보내어 가위바위보 게임 결과가 화면에 나타나도록 코드를 추가해 봅니다.

똑똑 해결 과정	• 글상자 : '플레이어 승리' 신호 → "플레이어 승리" 출력 • 글상자 : 'AI 승리' 신호 → "AI 승리" 출력 • 글상자 : '무승부' 신호 → "무승부" 출력

도움 명령 블록

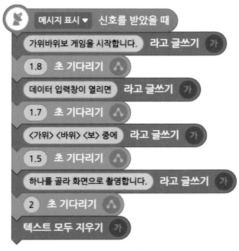

▲ 글상자

더하기 HINT [○ 신호를 받았을 때]와 [○ 라고 글쓰기] 블록을 사용했을 때, 어떠한 결과가 실행되었는지를 떠올려 미션을 해결하세요.

똑똑한 코딩 디버깅

실습파일 : 17 가위바위보 AI_디버깅.ent   완성파일 : 17 가위바위보 AI_디버깅(완성).ent

02 '플레이어'의 학습 결과가 화면에 나타나지 않는 오류가 발생했습니다. 코드의 오류를 찾아 '플레이어'의 학습 결과가 나타나도록 수정해 봅니다.

 '플레이어' 오브젝트 수정

준비물 **컴퓨터, 웹캠, 스피커**

18 AI 얼굴 인식 보안 시스템

학습목표
• 사용자의 얼굴을 이미지 데이터로 기록할 수 있습니다.
• 사용자의 얼굴을 인식하여 등록자와 미등록자를 구별할 수 있습니다.

실습파일 : 18 AI 보안.ent   완성파일 : 18 AI 보안(완성).ent

스마트폰에 있는 보안 프로그램 중 생체 인식을 사용해 본 적이 있나요? 잠금 화면을 열 때나 인증이 필요한 때 등 여러 가지 프로그램에 사용되고 있는데요. 이미지를 모델 학습시킨 후 이미지 데이터를 통해 등록자를 구분하는 방식의 프로그램이랍니다. 이번 시간에는 '분류 : 이미지' 기능을 이용하여 생체 인식 프로그램과 같은 얼굴 인식 인공지능 프로그램을 만들어 봅니다.

'버튼'을 클릭하면 데이터 입력 창이 열려 등록자와 미등록자를 구별합니다.

활용 인공지능
• 분류:이미지 : 업로드 또는 웹캠으로 촬영한 이미지를 분류할 수 있는 모델을 학습합니다.
• 읽어주기 : 메시지를 음성으로 재생합니다.

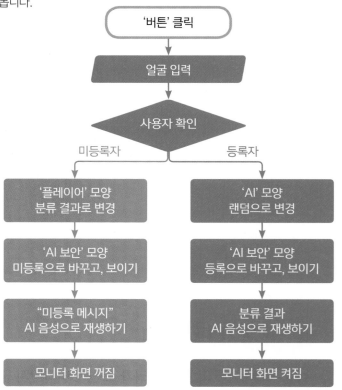

● '분류 : 이미지' 모델 기술 미리보기

'버튼'을 클릭하면 프로그램을 설명한 후 입력 창이 열려 얼굴을 인식합니다.

인식된 분류 결과가 등록자라면 'AI 보안'이 인사한 후 모니터의 화면이 켜집니다.

인식된 분류 결과가 미등록자라면 'AI 보안'이 "미등록 메시지"를 재생한 후 모니터의 화면이 꺼집니다.

● 주요 블록 알아보기

분류 결과	입력한 데이터를 모델에서 인식한 결과 값입니다.
학습한 모델로 분류하기 ●	데이터를 입력하고 학습한 모델로 인식합니다.
엔트리 읽어주고 기다리기 ●	입력한 문자값을 읽어준 후 다음 블록을 실행합니다.

 ① 이미지 데이터 기록하기

▶▶ **모델 학습 : 사용자의 얼굴 이미지 데이터 기록하기**

01 [블록]의 [인공지능]에서 [인공지능 블록 불러오기]를 클릭합니다. '인공지능 블록 불러오기' 창이 열리면 [읽어주기]를 선택한 후 [불러오기] 버튼을 클릭합니다.

02 [블록]의 [인공지능]에서 [인공지능 모델 학습하기]를 클릭한 후 '학습할 모델 선택하기' 창이 열리면 [새로 만들기]의 [분류 : 이미지]를 선택합니다. 이어서 [학습하기] 버튼을 클릭하여 학습명(등록)을 입력하고, 등록자(홍길동)과 '미등록자'를 입력합니다.

03 [모델 학습하기] 버튼을 클릭하여 학습을 완료한 후, 학습한 모델의 결과를 확인합니다.

04 학습한 모델의 결과가 정확하다면 [적용하기] 버튼을 클릭합니다.

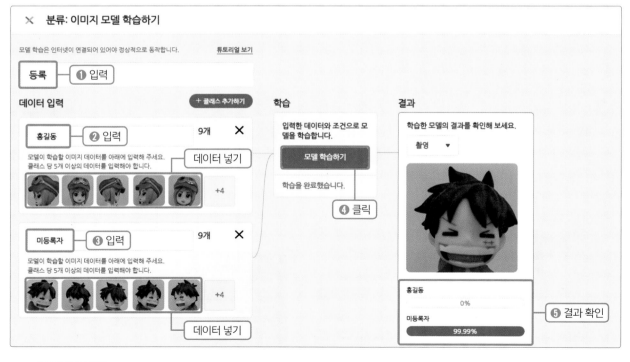

인공지능 TIP

인형의 모습과 같이 여러 측면에서 자신의 얼굴을 여러 개 촬영한 후 '모델 학습하기'를 실행해 봅니다.

② 등록자와 미등록자 구별하기

▶▶ **버튼 : 프로그램 사용 방법을 설명한 후 모델 분류하기**

01 '버튼'을 클릭하면 사용 방법을 설명하기 위해 [시작]의 (오브젝트를 클릭했을 때) 블록과 [인공지능]의 (○ 읽어주고 기다리기) 블록 3개를 드래그하여 연결한 후, 텍스트에 "사용자를 확인합니다.", "데이터 창이 열리면 움직이지 마세요.", "얼굴을 확인합니다."를 입력합니다.

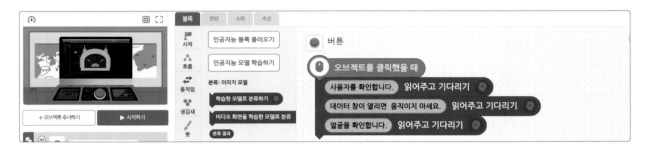

02 데이터 창에 입력된 모델을 학습하기 위해 [인공지능]의 (학습한 모델로 분류하기) 블록을 드래그하여 연결합니다.

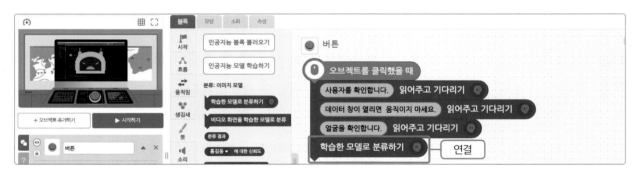

03 등록자와 미등록자를 구별하기 위해 [흐름]의 (만일 ○ (이)라면) 블록과 [판단]의 (○ = ○) 블록을 연결합니다. 이어서 왼쪽 칸에 [인공지능]의 (분류 결과) 블록을 끼워 넣은 후, 오른쪽 칸에 '홍길동'을 입력합니다. 그리고 [시작]의 (○ 신호 보내기) 블록 2개를 드래그하여 연결한 후, 목록 단추(▼)를 클릭하여 '등록자', '미등록자'를 선택합니다.

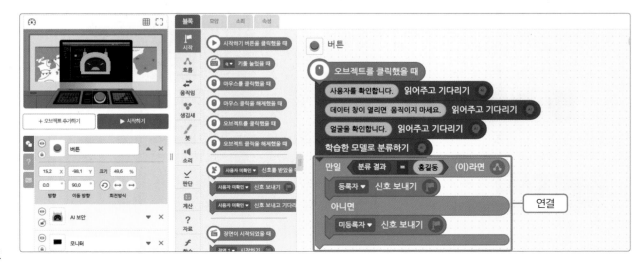

③ 등록자(홍길동)에게 인사하기

▶▶ AI 보안 : 등록자 신호를 받으면 분류 결과를 이용하여 등록자에게 인사하기

01 'AI 보안'의 모습을 웃는 얼굴로 바꾸기 위해 [시작]의 ◯신호를 받았을 때 블록과 [생김새]의 ◯모양으로 바꾸기 블록과 모양 보이기 블록을 드래그하여 연결한 후, 목록 단추(▼)를 클릭하여 '등록자', '등록'을 선택합니다.

02 등록자(홍길동)에게 인사하기 위해 [인공지능]의 ◯읽어주고 기다리기 블록을 연결합니다. 이어서 [계산]의 ◯과(와) ◯를 합치기 블록 2개를 결합하고, 맨 왼쪽 칸에 [인공지능]의 분류 결과 블록을 드래그하여 연결합니다. 그리고 순서대로 "님", "반갑습니다."를 입력합니다.

03 신호를 보내 모니터 화면을 켜기 위해 [흐름]의 ◯초 기다리기 블록을 연결한 후, 시간값에 '1'을 입력합니다. 이어서 [생김새]의 모양 숨기기 블록과 [시작]의 ◯신호 보내기 블록을 드래그하여 연결한 후, 목록 단추(▼)를 클릭하여 '등록결과 확인'을 선택합니다.

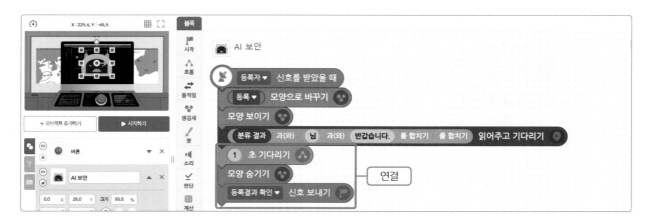

▶ **AI 보안 : 미등록자 신호를 받으면 컴퓨터를 '사용할 수 없음'을 음성으로 읽어주기**

01 'AI 보안'의 모습을 화난 얼굴로 바꾸기 위해 [시작]의 ○ 신호를 받았을 때 블록과 [생김새]의 ○ 모양으로 바꾸기 블록과 모양 보이기 블록을 드래그하여 연결한 후, 목록 단추(▼)를 클릭하여 '미등록자', '미등록'을 선택합니다.

02 분류 결과를 음성으로 알려 주기 위해 [인공지능]의 ○ 읽어주고 기다리기 블록을 드래그하여 연결한 후, 텍스트에 "미등록자입니다.", "컴퓨터를 사용할 수 없습니다."를 입력합니다.

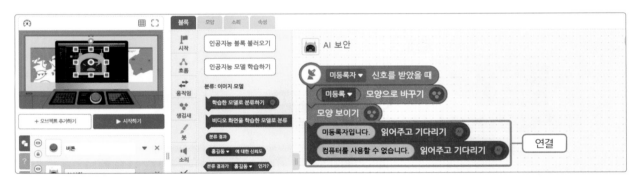

03 신호를 보내 모니터 화면을 끄기 위해 [흐름]의 ○ 초 기다리기 블록을 연결한 후, 시간값에 '1'을 입력합니다. 이어서 [생김새]의 모양 숨기기 블록과 [시작]의 ○ 신호 보내기 블록을 드래그하여 연결한 후, 목록 단추(▼)를 클릭하여 '등록결과 없음'을 선택합니다.

01 'AI 보안' 오브젝트에 미리 작성되어 있는 코드를 확인해 봅니다.

[▶] 버튼을 눌러 코드를 실행하면 'AI 보안' 오브젝트를 화면에서 숨깁니다.

'AI 보안' 버튼은 누를 때에만 나타나야 하기 때문에 화면에서 숨겨 놓는 것입니다.

02 '모니터' 오브젝트에 미리 작성되어 있는 코드를 확인해 봅니다.

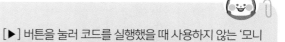

[▶] 버튼을 눌러 코드를 실행했을 때 사용하지 않는 '모니터'를 표현하기 위해 '꺼진 모니터' 모양으로 바꿉니다.

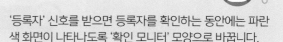

'등록자' 신호를 받으면 등록자를 확인하는 동안에는 파란색 화면이 나타나도록 '확인 모니터' 모양으로 바꿉니다.

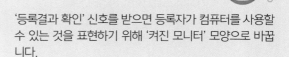

'등록결과 확인' 신호를 받으면 등록자가 컴퓨터를 사용할 수 있는 것을 표현하기 위해 '켜진 모니터' 모양으로 바꿉니다.

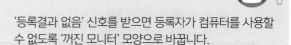

'등록결과 없음' 신호를 받으면 등록자가 컴퓨터를 사용할 수 없도록 '꺼진 모니터' 모양으로 바꿉니다.

MISSION 나는 똑똑한 AI 개발자

똑똑한 코딩 더하기

실습파일 : 18 AI 보안_더하기.ent   완성파일 : 18 AI 보안_더하기(완성).ent

01 미등록자일 경우 연구실에 비상등이 깜박이며 경보가 울리도록 코드를 추가해 봅니다.

| 똑똑 해결 과정 | • 연구실 : '미등록자' 신호 → '위험 경고' 소리 재생 → '색깔' 효과 변경
• 연구실 : '등록결과 없음' 신호 → 자신의 다른 코드 멈추기 → 효과 모두 지우기 |

도움 명령 블록

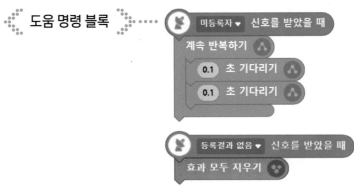

▲ 연구실

> **더하기 HINT** 제시된 '도움 명령 블록'에 비상등과 경보음을 표현하기 위해 [소리 ○ 재생하기], [○ 효과를 ○ 만큼 주기], [효과 모두 지우기] 블록을 추가해 봅니다. 그리고 미등록자일 경우, 효과가 나타나지 않도록 [○ 코드 멈추기] 블록을 추가하여 프로그램을 완성해 봅니다.

똑똑한 코딩 디버깅

실습파일 : 18 AI 보안_디버깅.ent   완성파일 : 18 AI 보안_디버깅(완성).ent

02 등록자인데 미등록자라고 경보가 울리는 오류가 발생했습니다. 코드의 오류를 찾아 경보가 울리지 않도록 수정해 봅니다.

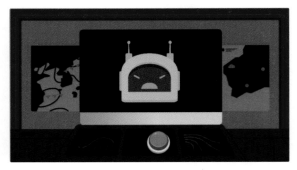

> **디버깅 HINT** 'AI 보안' 오브젝트 수정

19 나를 웃게 하는 AI

준비물 **컴퓨터, 웹캠, 스피커**

학습 목표
- 이미지 분석 결과로 사용자의 기분을 이해할 수 있습니다.
- 사용자의 기분에 따라 재미있는 개그를 할 수 있습니다.

실습파일 : 19 개그 AI.ent   완성파일 : 19 개그 AI(완성).ent

인공지능 만들기

사용자의 기분을 풀어주는 AI 로봇을 본 적이 있나요? 이번 시간에는 표정을 이미지로 모델 학습시킨 후 이미지 데이터를 통해 사용자의 기분을 구별해 주는 인공지능 프로그램을 만들어 봅니다.

'버튼'을 클릭하면 데이터 입력 창이 열려 사용자의 기분을 분석합니다. 분석 결과 나타난 기분에 따라 재미있는 개그를 합니다.

활용 인공지능 🖼 📝
- 분류:이미지 : 업로드 또는 웹캠으로 촬영한 이미지를 분류할 수 있는 모델을 학습합니다.
- 읽어주기 : 메시지를 음성으로 재생합니다. 이때 음성은 다양한 형태로 바꿀 수 있습니다.

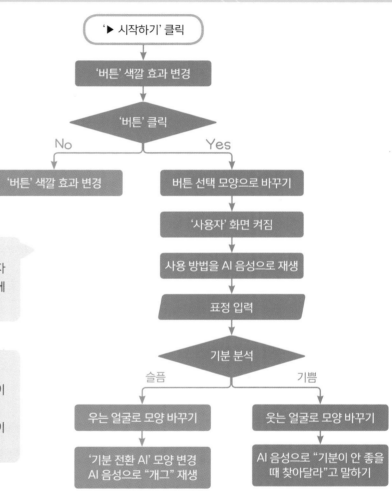

```
'▶ 시작하기' 클릭
        ↓
'버튼' 색깔 효과 변경
        ↓
'버튼' 클릭
   No ↓        ↓ Yes
'버튼' 색깔      버튼 선택
효과 변경       모양으로 바꾸기
                ↓
            '사용자' 화면 켜짐
                ↓
            사용 방법을 AI 음성으로 재생
                ↓
            표정 입력
                ↓
            기분 분석
    슬픔 ↓          ↓ 기쁨
우는 얼굴로        웃는 얼굴로
모양 바꾸기        모양 바꾸기
    ↓              ↓
'기분 전환 AI'     AI 음성으로 "기분이
모양 변경         안 좋을 때 찾아달라"고
AI 음성으로       말하기
"개그" 재생
```

🔵 '분류 : 이미지' 모델 기술 미리보기

'버튼'을 클릭하면 사용 방법을 설명한 후 입력 창이 열려 얼굴을 인식합니다.

인식된 분류 결과가 '슬픔'이면 AI가 재미있는 개그를 합니다.

인식된 분류 결과가 '기쁨'이면 기분이 안 좋을 때 찾아달라고 말합니다.

주요 블록 알아보기

분류 결과가 기쁨 ▼ 인가?	입력한 데이터의 인식 결과가 선택한 클래스인 경우 '참'으로 판단합니다.
학습한 모델로 분류하기	데이터를 입력하고 학습한 모델로 인식합니다.
엔트리 읽어주고 기다리기	입력한 문자값을 읽어준 후 다음 블록을 실행합니다.

1 이미지 데이터 기록하기

▶ 모델 학습 : 사용자의 이미지 데이터 기록하기

01 [블록]의 [인공지능]에서 [인공지능 블록 불러오기]를 클릭합니다. '인공지능 블록 불러오기' 창이 열리면 [읽어주기]를 선택한 후 [불러오기] 버튼을 클릭합니다.

02 [블록]의 [인공지능]에서 [인공지능 모델 학습하기]를 클릭한 후 '학습할 모델 선택하기' 창이 열리면 [새로 만들기]의 [분류 : 이미지]를 선택합니다. 이어서 [학습하기] 버튼을 클릭하여 학습명(표정)을 입력하고, 표정인 '기쁨'과 '슬픔'을 등록합니다.

03 [모델 학습하기] 버튼을 클릭하여 학습을 완료한 후 학습한 모델의 결과를 확인합니다.

04 학습한 모델의 결과가 정확하다면 [적용하기] 버튼을 클릭합니다.

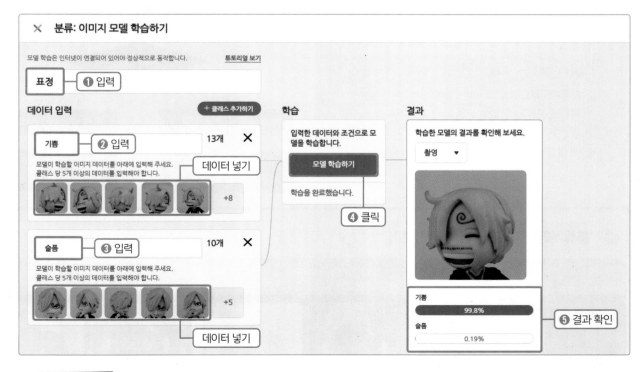

인공지능 TIP
인형의 모습과 같이 기쁜 표정과 슬픈 표정을 여러 측면에서 촬영한 후 '모델 학습하기'를 실행해 봅니다.

② 사용자의 기분 표현하기

▶▶ **사용자 : 프로그램 사용 방법을 설명한 후 모델 분류하기**

01 사용자의 '기본 얼굴' 모양을 보이기 위해 [시작]의 〔 ○ 신호를 받았을 때 〕 블록과 [생김새]의 〔 ○ 모양으로 바꾸기 〕 블록과 〔 모양 보이기 〕 블록을 드래그하여 연결한 후, 목록 단추(▼)를 클릭하여 '사용자 화면 켜짐', '기본 얼굴'을 선택합니다.

02 사용 방법을 설명하기 위해 [인공지능]의 〔 ○ 읽어주고 기다리기 〕 블록을 드래그하여 연결한 후 텍스트에 "기분 전환 AI를 사용합니다.", "사용자의 표정을 확인합니다.", "데이터 입력 창이 열리면 움직이지 마세요."를 입력합니다.

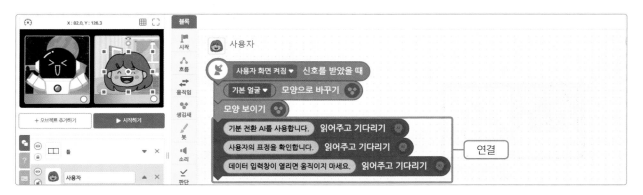

03 데이터 창에 입력된 모델을 학습하기 위해 [인공지능]의 〔 학습한 모델로 분류하기 〕 블록을 드래그하여 연결합니다.

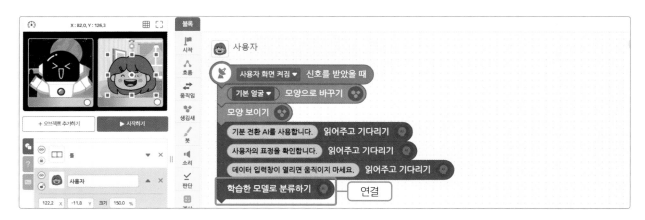

04 기분을 확인하기 위해 [흐름]의 `만일 O (이)라면 아니면` 블록과 [인공지능]의 `분류 결과가 O 인가?` 블록을 드래그하여 연결한 후, 목록 단추(▼)를 클릭하여 '기쁨'를 선택합니다.

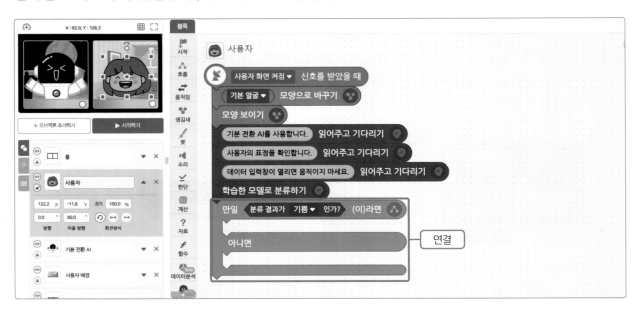

05 분류 결과에 따라 다른 표정을 짓도록 [생김새]의 `O 모양으로 바꾸기` 블록과 [신호]의 `O 신호 보내기` 를 드래그하여 연결합니다. 그리고 모양 목록 단추(▼)를 클릭하여 '웃는 얼굴'과 '우는 얼굴'을, 신호 목록 단추(▼)를 클릭하여 '사용자 기분 기쁨'과 '사용자 기분 슬픔'을 선택합니다.

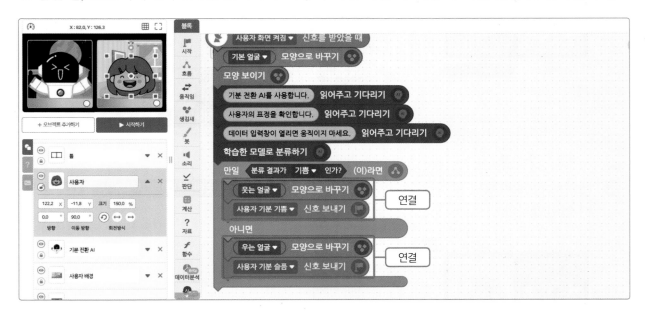

01 'LED' 오브젝트에 미리 작성되어 있는 코드를 확인해 봅니다.

'사용자 기분 슬픔' 신호를 받으면 'LED'에 불이 켜지도록 색깔 효과를 적용합니다.

'사용자 기분 기쁨' 신호를 받으면 'LED'에 불이 켜지도록 색깔 효과를 적용합니다.

'대화 종료' 신호를 받으면 모든 LED의 효과를 지웁니다.

02 '버튼' 오브젝트에 미리 작성되어 있는 코드를 확인해 봅니다.

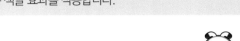

[▶] 버튼을 눌러 코드를 실행하면 '버튼'이 눌려져 있지 않도록 모양을 변경한 후 '버튼'의 불이 깜박거릴 수 있도록 색깔 효과를 적용합니다.

❶ '버튼'을 클릭했을 때 '버튼'이 선택되어 있으면 모양을 '버튼 해제'로 바꾸고, 모든 효과를 지웁니다.

❷ 대화를 종료하기 위해 '사용자 화면 꺼짐', '대화 종료' 신호를 보내고, 다른 오브젝트의 코드를 멈추어 '기분 전환 AI'와 대화를 종료합니다.

❸ '버튼'을 클릭했을 때 '버튼'이 해제되어 있으면 모양을 '버튼 선택'으로 바꾸고, 자신의 다른 코드를 멈추고, 색깔 효과를 적용한 후 '사용자 화면 켜짐' 신호를 보내 '기분 전환 AI'와 대화를 시작합니다.

03 '사용자' 오브젝트에 미리 작성되어 있는 코드를 확인해 봅니다.

[▶] 버튼을 눌러 코드를 실행하면 '사용자'를 화면에서 숨깁니다.

'사용자 화면 꺼짐' 신호를 받으면 대화 종료로 '사용자'를 화면에서 숨깁니다.

04 '기분 전환 AI' 오브젝트에 미리 작성되어 있는 코드를 확인해 봅니다.

[▶] 버튼을 눌러 코드를 실행하면 'AI 로봇1'의 모습으로 모양을 바꾸고 화면에서 숨깁니다.

❶ '사용자 기분 슬픔' 신호를 받으면 '기분 전환 AI' 모습을 화면에 보입니다.

❷ 재미있는 개그를 읽어줍니다.

❸ 자신의 다른 코드를 멈추고, '대화 종료' 신호를 보내 '기분 전환 AI'의 대화를 멈춥니다.

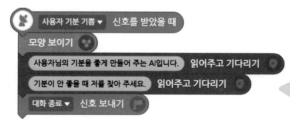

'사용자 기분 기쁨' 신호를 받으면 '기분 전환 AI' 모습이 화면에 나타나서 "사용자님의 기분을 좋게 만들어 주는 AI입니다. 기분이 안 좋을 때 저를 찾아 주세요"를 말합니다. 이어서 '대화 종료' 신호를 보내 '기분 전환 AI'의 대화를 멈춥니다.

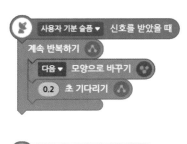

'사용자 기분 슬픔' 신호를 받으면 '기분 전환 AI'의 모습을 바꿉니다.

'대화 종료' 신호를 받으면 '기분 전환 AI'의 모습을 화면에서 숨깁니다.

05 '사용자 배경' 오브젝트에 미리 작성되어 있는 코드를 확인해 봅니다.

[▶] 버튼을 눌러 코드를 실행하면 '사용자 배경'을 화면에서 숨깁니다.

'사용자 화면 꺼짐' 신호를 받으면 '사용자 배경'을 화면에서 숨깁니다.

'사용자 화면 켜짐' 신호를 받으면 '사용자 배경'을 화면에 보입니다.

06 'AI 배경' 오브젝트에 미리 작성되어 있는 코드를 확인해 봅니다.

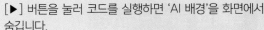

[▶] 버튼을 눌러 코드를 실행하면 'AI 배경'을 화면에서 숨깁니다.

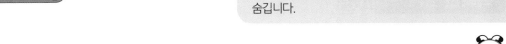

'대화 종료' 신호를 받으면 'AI 배경'을 화면에서 숨깁니다.

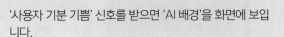

'사용자 기분 기쁨' 신호를 받으면 'AI 배경'을 화면에 보입니다.

'사용자 기분 슬픔' 신호를 받으면 'AI 배경'을 화면에 보입니다.

나는 똑똑한 AI 개발자

똑똑한 코딩 더하기

실습파일 : 19 개그 AI_더하기.ent   완성파일 : 19 개그 AI_더하기(완성).ent

01 '기분 전환 AI'가 개그를 할 때 다른 목소리와 속도로 표현되도록 코드를 추가해 봅니다.

> **똑똑 해결 과정**   기분 전환 AI : '사용자 기분 슬픔' 신호 → '목소리' 변경

도움 명령 블록

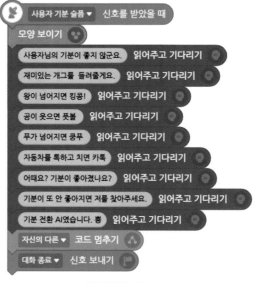

▲ 기분 전환 AI

더하기 HINT 제시된 '도움 명령 블록'에 [○ 목소리를 ○ 속도 ○ 음높이로 설정하기] 블록을 추가했을 때, 어떠한 결과가 실행될지를 떠올려 미션을 해결하세요.

똑똑한 코딩 디버깅

실습파일 : 19 개그 AI_디버깅.ent   완성파일 : 19 개그 AI_디버깅(완성).ent

02 얼굴 표정을 인식하는 데이터 입력 창이 열리지 않는 오류가 발생했습니다. 코드의 오류를 찾아 데이터 입력 창이 열리도록 수정해 봅니다.

디버깅 HINT '사용자' 오브젝트 수정

20 마음을 위로해 주는 AI 상담사

준비물 컴퓨터, 마이크, 스피커

학습목표
• 사용자의 음성을 분석하여 기분을 이해할 수 있습니다.
• 사용자의 기분에 따른 상담 내용을 음성으로 재생합니다.

실습파일 : 20 상담 AI.ent   완성파일 : 20 상담 AI(완성).ent

상담사와 이야기해 본 적이 있나요? 상담사는 고민이 있는 사람의 이야기를 듣고 함께 이야기하며 문제를 해결해 주는 사람이지요. 이번 시간에는 사용자의 기분을 음성으로 기록한 후, 내용을 판단하여 상담해 주는 인공지능 프로그램을 만들어 봅니다.

'버튼'을 클릭하면 데이터 입력 창이 열려 사용자의 기분을 녹음합니다. 녹음에 따라 상담의 내용을 바꾸어 음성으로 재생합니다.

활용 인공지능
• 분류:음성 : 마이크로 녹음하거나 파일로 업로드한 음성을 분류할 수 있는 모델을 학습합니다.
• 읽어주기 : 메시지를 음성으로 재생합니다. 이때 음성은 다양한 형태로 바꿀 수 있습니다.

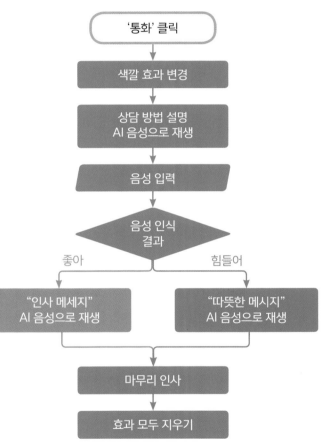

```
         '통화' 클릭
            ↓
       색깔 효과 변경
            ↓
      상담 방법 설명
     AI 음성으로 재생
            ↓
        음성 입력
            ↓
       음성 인식
         결과
   좋아            힘들어
    ↓                ↓
 "인사 메세지"    "따뜻한 메시지"
AI 음성으로 재생   AI 음성으로 재생
            ↓
       마무리 인사
            ↓
      효과 모두 지우기
```

🔵 '분류 : 음성' 모델 기술 미리보기

'통화'를 클릭하면 상담 방법을 설명한 후 입력 창이 열려 사용자의 기분을 입력합니다.

녹음된 분류 결과에 따라 다른 메시지를 AI 음성으로 읽어줍니다.

통화가 종료되면 '통화' 버튼의 색깔이 돌아옵니다.

주요 블록 알아보기

학습한 모델로 분류하기	데이터를 입력하고 학습한 모델로 인식합니다.
분류 결과가 힘들어 ▼ 인가?	입력한 데이터의 인식 결과가 선택한 클래스인 경우 '참'으로 판단합니다.
엔트리 읽어주고 기다리기	입력한 문자값을 읽어준 후 다음 블록을 실행합니다.

 **1 음성 데이터 기록하기**

▶▶ **모델 학습 : 사용자의 기분을 음성 데이터로 기록하기**

01 [블록]의 [인공지능]에서 [인공지능 블록 불러오기]를 클릭합니다. '인공지능 블록 불러오기' 창이 열리면 [읽어주기]를 선택한 후 [불러오기] 버튼을 클릭합니다.

02 [블록]의 [인공지능]에서 [인공지능 모델 학습하기]를 클릭한 후 '학습할 모델 선택하기' 창이 열리면 [새로 만들기]의 [분류 : 음성]를 선택합니다. 이어서 [학습하기] 버튼을 클릭하여 학습명(기분)을 입력하고 오늘 '오늘 힘들어'와 '좋아'를 등록합니다.

03 [모델 학습하기] 버튼을 클릭하여 학습을 완료한 후, 학습한 모델의 결과를 확인합니다.

04 학습한 모델의 결과가 정확하다면 [적용하기] 버튼을 클릭합니다.

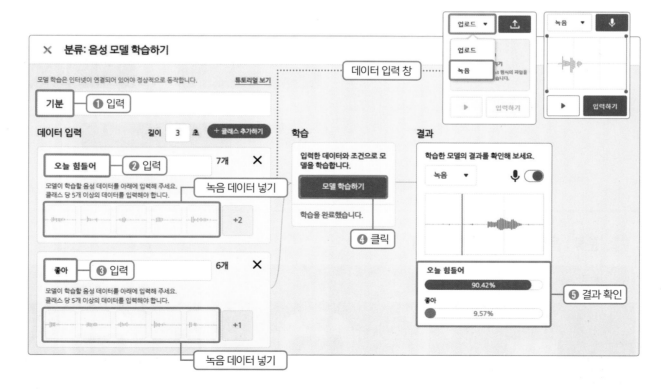

② AI 상담하기

▶▶ 통화 : 프로그램 사용 방법을 설명한 후 녹음된 음성을 분석하여 상담하기

01 버튼 모양을 통해 통화 중인 모습을 표현하기 위해 [시작]의 `오브젝트를 클릭했을 때` 블록과 [생김새]의 `O 효과를 O (으)로 정하기` 블록을 드래그하여 연결한 후, 목록 단추(▼)를 클릭하여 '색깔'을 선택하고, 값에 '20'을 입력합니다.

02 프로그램을 설명하기 위해 [인공지능]의 `O 읽어주고 기다리기` 블록 3개를 드래그하여 연결한 후, "안녕하세요. AI 상담사입니다.", "오늘은 기분이 어떤가요?", "데이터 입력 창이 열리면 자신의 기분을 이야기해 주세요."를 입력합니다.

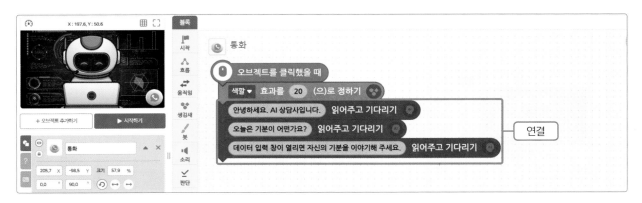

03 사용자의 기분을 녹음하여 분류하기 위해 [인공지능]의 `학습한 모델로 분류하기` 블록을 드래그하여 연결합니다.

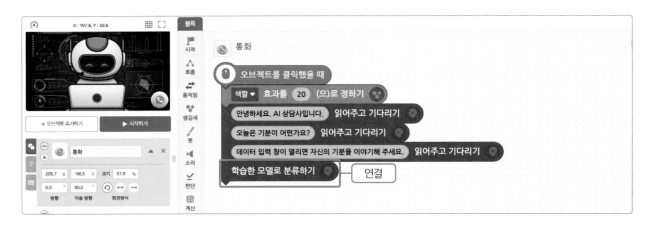

04 분류 결과를 확인하기 위해 [흐름]의 `만일 O (이)라면` 블록 2개와 [인공지능]의 `분류 결과가 O 인가?` 블록을 드래그하여 연결한 후, 목록 단추(▼)를 클릭하여 '오늘 힘들어', '좋아'를 선택합니다.

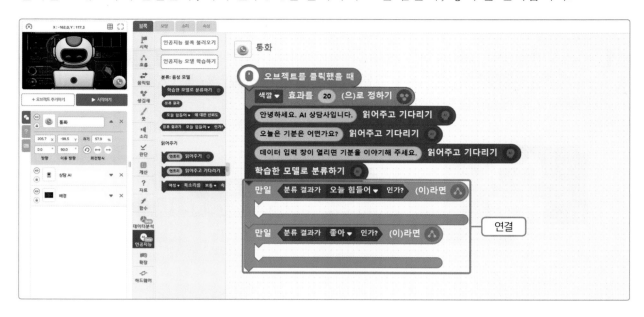

05 분류 결과가 '오늘 힘들어'라면 그에 해당하는 상담 메시지를 전달하기 위해 [인공지능]의 `O 읽어주고 기다리기` 블록 4개를 드래그하여 연결합니다. 그리고 텍스트를 "힘든 일이 생겨서 슬픈가요?", "괜찮아요. 힘내요! 오늘 하루도 수고했어요.", "마음이 힘들면 언제든지 힘들다고 말해도 괜찮아요.", "제가 당신의 편이 되어 줄게요."로 입력합니다.

06 분류 결과가 '좋아'라면 그에 해당하는 상담 메시지를 전달하기 위해 **[인공지능]**의 `○ 읽어주고 기다리기` 블록 2개를 드래그하여 연결합니다. 그리고 텍스트를 "오늘 좋은 일이 많았나요?", "행복해 하는 모습을 보니 저도 행복합니다."로 입력합니다.

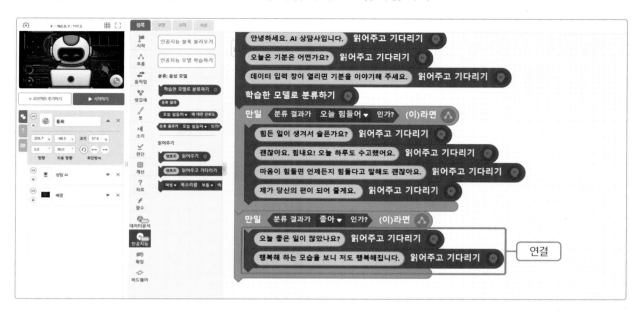

07 마지막 인사를 하고 통화를 끊는 것을 표현하기 위해 **[인공지능]**의 `○ 읽어주고 기다리기` 블록 2개와 **[생김새]**의 `효과 모두 지우기` 블록을 드래그하여 연결한 후, 텍스트를 "지금까지 AI 상담사였습니다.", "제가 필요할 땐 언제든지 찾아주세요."로 입력합니다.

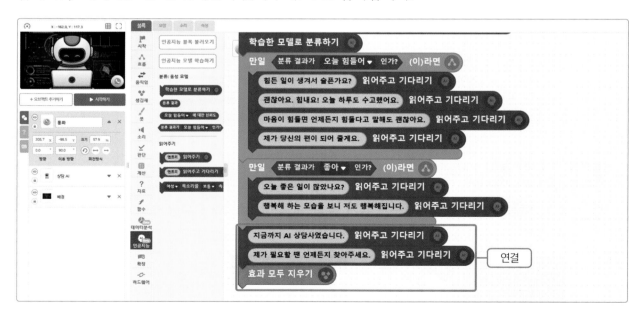

인공지능 TIP

프로그램을 실행한 후, 입력 창을 통해 녹음을 진행할 때에는 음성 데이터를 기록했을 때와 비슷한 속도로 말하는 것이 좋습니다.

MISSION 나는 똑똑한 AI 개발자

똑똑한 코딩 더하기

실습파일 : 20 상담 AI_더하기.ent   완성파일 : 20 상담 AI_더하기(완성).ent

01 상담을 하는 동안 신호를 보내 '배경'의 색상이 바뀌도록 코드를 추가해 봅니다.

도움 명령 블록

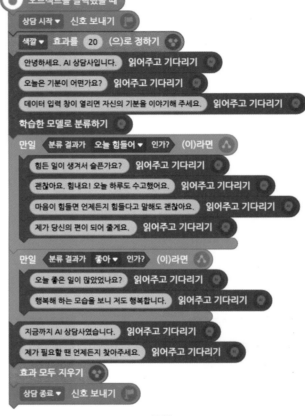

오브젝트를 클릭했을 때
상담 시작 ▼ 신호 보내기
색깔 ▼ 효과를 20 (으)로 정하기
안녕하세요. AI 상담사입니다. 읽어주고 기다리기
오늘은 기분이 어떤가요? 읽어주고 기다리기
데이터 입력 창이 열리면 자신의 기분을 이야기해 주세요. 읽어주고 기다리기
학습한 모델로 분류하기
만일 분류 결과가 오늘 힘들어 ▼ 인가? (이)라면
　힘든 일이 생겨서 슬픈가요? 읽어주고 기다리기
　괜찮아요. 힘내요! 오늘 하루도 수고했어요. 읽어주고 기다리기
　마음이 힘들면 언제든지 힘들다고 말해도 괜찮아요. 읽어주고 기다리기
　제가 당신의 편이 되어 줄게요. 읽어주고 기다리기
만일 분류 결과가 좋아 ▼ 인가? (이)라면
　오늘 좋은 일이 많았었나요? 읽어주고 기다리기
　행복해 하는 모습을 보니 저도 행복합니다. 읽어주고 기다리기
지금까지 AI 상담사였습니다. 읽어주고 기다리기
제가 필요할 땐 언제든지 찾아주세요. 읽어주고 기다리기
효과 모두 지우기
상담 종료 ▼ 신호 보내기

▲ 통화

똑똑 해결 과정

• 배경 : '상담 시작' 신호 → '색깔' 변경
• 배경 : '상담 종료' 신호 → 효과 모두 지우기

더하기 HINT 제시된 '도움 명령 블록'에서 [상담 시작 신호 보내기]를 통해 신호를 보내고, [색깔 효과를 ○ 만큼 주기], [효과 지우기] 블록을 추가했을 때, 어떠한 결과가 실행될지를 떠올려 미션을 해결하세요.

똑똑한 코딩 디버깅

실습파일 : 20 상담 AI_디버깅.ent   완성파일 : 20 상담 AI_디버깅(완성).ent

02 상담 내용이 겹쳐서 나타나는 오류가 발생했습니다. 코드의 오류를 찾아 음성이 겹쳐서 재생되지 않도록 수정해 봅니다.

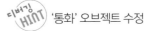

디버깅 HINT '통화' 오브젝트 수정

21 AI 게임 - 퀴즈 구구단

준비물 컴퓨터, 스피커

학습목표
- 사용자가 입력한 텍스트를 분석하여 숫자를 기록할 수 있습니다.
- 사용자가 기록한 숫자를 이용하여 구구단 게임을 할 수 있습니다.

실습파일 : 21 게임 AI.ent   완성파일 : 21 게임 AI(완성).ent

친구들과 구구단 문제를 내고 맞히는 게임을 해 본 적이 있나요? 이번 시간에는 친구들과 구구단 게임을 하는 것처럼 AI와 구구단 게임을 할 수 있도록 프로그램을 만들어 봅니다.

'버튼'을 클릭하면 데이터 입력 창이 열려 사용자가 입력하는 숫자를 기록합니다. 기록된 숫자로 구구단 게임을 진행합니다.

활용 인공지능
- 분류:텍스트 : 직접 작성하거나 파일로 업로드한 텍스트를 분류할 수 있는 모델을 학습합니다.
- 읽어주기 : 메시지를 음성으로 재생합니다. 이때 음성은 다양한 형태로 바꿀 수 있습니다.

'버튼' 클릭

↓

'버튼' 정지 모양으로 바꾸기

↓

구구단 게임 방법
AI 음성으로 재생

↓

첫 번째 숫자
텍스트 입력

↓

첫 번째 숫자 기록
화면에 출력

↓

두 번째 숫자
텍스트 입력

↓

두 번째 숫자 기록
화면에 출력

↓

곱하기 결과 확인

'분류 : 텍스트' 모델 기술 미리보기

'버튼'을 클릭하면 구구단 게임 방법을 설명한 후 입력 창이 열리면 숫자를 입력합니다.

입력된 텍스트를 분류한 결과로 구구단 게임을 진행합니다.

구구단 게임의 결과를 음성으로 말해 줍니다.

21 AI 게임 - 퀴즈 구구단 131

주요 블록 알아보기

글상자 계산 ▼ 의 내용	선택한 글상자에 입력된 텍스트 값입니다.
학습한 모델로 분류하기	데이터를 입력하고 학습한 모델로 인식합니다.
분류 결과가 1 ▼ 인가?	입력한 데이터의 인식 결과가 선택한 클래스인 경우 '참'으로 판단합니다.
엔트리 읽어주고 기다리기	입력한 문자값을 읽어준 후, 다음 블록을 실행합니다.

 ① **텍스트 데이터 기록하기**

▶▶ **모델 학습 : 1~10까지의 숫자를 텍스트 데이터로 기록하기**

01 [블록]의 [인공지능]에서 [인공지능 블록 불러오기]를 클릭합니다. '인공지능 블록 불러오기' 창이 열리면 [읽어주기]를 선택한 후 [불러오기] 버튼을 클릭합니다.

02 [블록]의 [인공지능]에서 [인공지능 모델 학습하기]를 클릭한 후 [학습할 모델 선택하기] 창이 열리면 [새로 만들기]의 [분류 : 텍스트]를 선택합니다. 이어서 [학습하기] 버튼을 클릭한 후, [+클래스 추가하기] 버튼을 이용해 '1'~'9'까지 입력합니다.

03 [모델 학습하기] 버튼을 클릭하여 학습을 완료한 후 학습한 모델의 결과를 확인합니다.

04 학습한 모델의 결과가 정확하다면 [적용하기] 버튼을 클릭합니다.

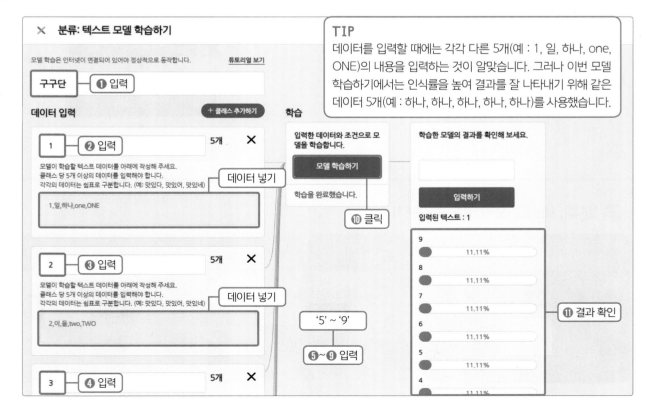

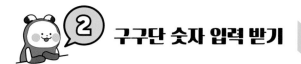

2 구구단 숫자 입력 받기

▶▶ 버튼 : 프로그램 사용 방법을 설명한 후 숫자를 텍스트로 기록하기

01 게임 시작을 알리기 위해 [시작]의 `오브젝트를 클릭했을 때` 블록과 [생김새]의 `O 모양으로 바꾸기` 블록을 드래그하여 연결한 후, 목록 단추(▼)를 클릭하여 '정지'를 선택합니다.

02 구구단의 첫 번째 숫자를 입력받기 위해 [인공지능]의 `O 읽어주고 기다리기` 블록 2개를 드래그하여 연결합니다. 그리고 텍스트에 "곱하기 게임을 시작합니다.", "데이터 입력 창이 열리면 곱하기 첫 번째 숫자를 입력하세요."를 입력합니다.

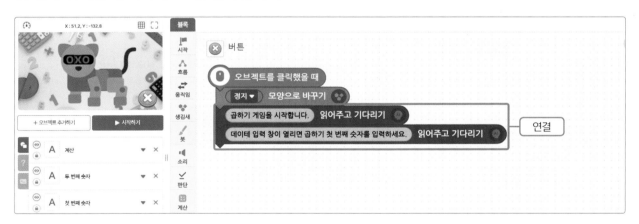

03 이어서 [인공지능]의 `학습한 모델로 분류하기` 블록과 [시작]의 `O 신호 보내기` 블록을 드래그하여 연결한 후, 목록 단추(▼)를 클릭하여 '첫 번째 숫자 기록'을 선택합니다.

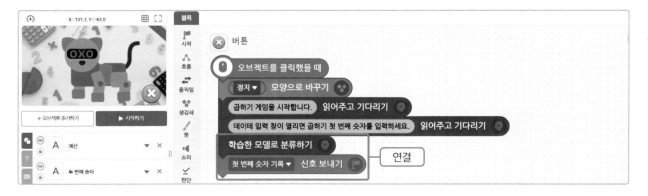

04 구구단의 두 번째 숫자를 입력받기 위해 [인공지능]의 〔○ 읽어주고 기다리기〕 블록 2개를 드래그하여 연결한 후 텍스트에 "첫 번째 숫자를 기록했습니다.", "데이터 입력 창이 열리면 곱하기 두 번째 숫자를 입력하세요."를 입력합니다.

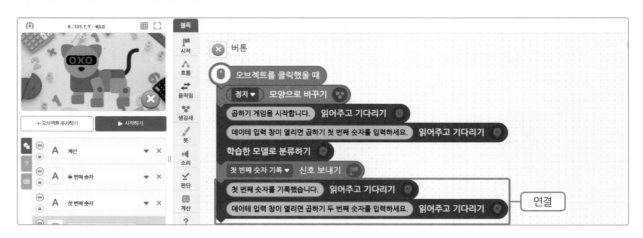

05 이어서 [인공지능]의 〔학습한 모델로 분류하기〕 블록과 [시작]의 〔○ 신호 보내기〕 블록을 드래그하여 연결한 후, 목록 단추(▼)를 클릭하여 '두 번째 숫자 기록'을 선택합니다.

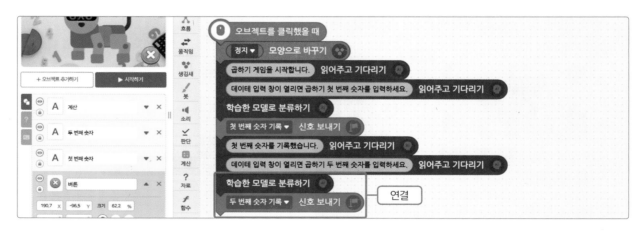

06 곱하기 결과를 확인하기 위해 [인공지능]의 〔○ 읽어주고 기다리기〕 블록 2개를 드래그하여 연결한 후, 텍스트에 "두 번째 숫자를 기록했습니다.", "곱하기 결과를 확인합니다."를 입력합니다.

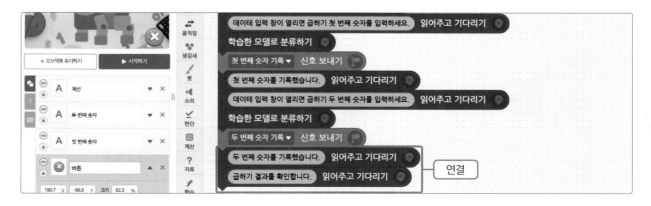

07 이어서 [시작]의 `O 신호 보내기` 블록과 [생김새]의 `O 모양으로 바꾸기` 블록과 [흐름]의 `[모든] 코드 멈추기` 블록을 드래그하여 연결합니다. 그리고 목록 단추(▼)를 클릭하여 '곱하기 결과', '곱하기'를 선택합니다.

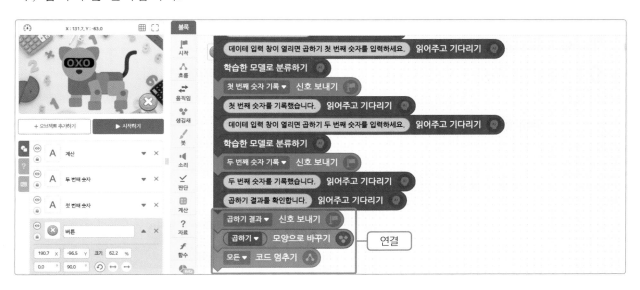

③ 구구단 계산하기

▶▶ 계산 : 기록된 데이터를 계산하기

01 곱하기 결과를 화면에 출력하기 위해 [시작]의 `O 신호를 받았을 때` 블록을 연결한 후 '곱하기 결과'를 선택합니다. 이어서 [글상자]의 `O 라고 글쓰기` 블록과 [계산]의 `O × O` 블록을 연결합니다. 그리고 양쪽에 `글상자 O 의 내용` 블록을 드래그하여 연결한 후, 목록 단추(▼)를 클릭하여 각각 '첫 번째 숫자'와 '두 번째 숫자'를 선택합니다.

02 계산 결과를 음성으로 재생하기 위해 [인공지능]의 `O 읽어주고 기다리기` 블록을 연결한 후 [계산]의 `O 과(와) O를 합치기` 블록 2개를 끼워 넣습니다. [글상자]의 `글상자 O 의 내용` 블록 2개를 다음 그림과 같이 드래그하여 연결한 후, 목록 단추(▼)를 클릭하여 각각 '첫 번째 숫자', '두 번째 숫자'를 선택하고, 텍스트에 "결과는", "입니다."를 입력합니다.

MISSION 나는 똑똑한 AI 개발자

똑똑한 코딩 더하기

실습파일 : 21 게임 AI_더하기.ent 완성파일 : 21 게임 AI_더하기(완성).ent

01 텍스트 입력 후 분석 결과가 음성으로 재생되도록 코드를 추가해 봅니다.

똑똑 해결 과정	• 버튼 : '첫 번째 숫자 기록' 신호 → '분류 결과' 음성 재생 • 버튼 : '두 번째 숫자 기록' 신호 → '분류 결과' 음성 재생

도움 명령 블록

```
오브젝트를 클릭했을 때
정지 ▼ 모양으로 바꾸기
곱하기 게임을 시작합니다. 읽어주고 기다리기
데이테 입력 창이 열리면 곱하기 첫 번째 숫자를 입력하세요. 읽어주고 기다리기
학습한 모델로 분류하기
첫 번째 숫자 기록 ▼ 신호 보내기
첫 번째 숫자를 기록했습니다. 읽어주고 기다리기
데이테 입력 창이 열리면 곱하기 두 번째 숫자를 입력하세요. 읽어주고 기다리기
학습한 모델로 분류하기
두 번째 숫자 기록 ▼ 신호 보내기
두 번째 숫자를 기록했습니다. 읽어주고 기다리기
곱하기 결과를 확인합니다. 읽어주고 기다리기
곱하기 결과 ▼ 신호 보내기
곱하기 ▼ 모양으로 바꾸기
모든 ▼ 코드 멈추기
```

▲ 버튼

더하기 HINT 제시된 '도움 명령 블록'에 [분류 결과]와 [○ 읽어주고 기다리기] 블록을 결합하여 추가했을 때, 어떠한 결과가 실행될지를 떠올려 미션을 해결하세요.

똑똑한 코딩 디버깅

실습파일 : 21 게임 AI_디버깅.ent 완성파일 : 21 게임 AI_디버깅(완성).ent

02 텍스트를 입력할 때 입력된 첫 번째 숫자와 두 번째 숫자가 반대로 보이는 오류가 발생했습니다. 코드의 오류를 찾아 순서가 바뀌지 않도록 수정해 봅니다.

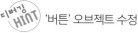

디버깅 HINT '버튼' 오브젝트 수정

22 AI 로봇 강아지 훈련사

준비물 컴퓨터, 스피커

학습목표
- 입력한 텍스트를 분류하여 결과를 얻을 수 있습니다.
- 분류한 결과로 강아지를 훈련시킬 수 있습니다.

실습파일 : 22 AI 로봇 강아지.ent 완성파일 : 22 AI 로봇 강아지(완성).ent

강아지를 훈련하는 모습을 본 적이 있나요? 이번 시간에는 텍스트로 모델 학습을 하여 'AI 로봇 강아지'를 훈련시킬 수 있는 프로그램을 만들어 봅니다.

'강아지'를 클릭하면 데이터 입력 창이 열려 강아지를 훈련시킬 수 있습니다.

 활용 인공지능
- 분류:텍스트 : 직접 작성하거나 파일로 업로드한 텍스트를 분류할 수 있는 모델을 학습합니다.
- 읽어주기 : 메시지를 음성으로 재생합니다. 이때 음성은 다양하게 바꿀 수 있습니다.

'AI 로봇 강아지' 클릭
↓
'AI 로봇 강아지' 기본 자세 모양으로 바꾸기
↓
훈련 방법 AI 음성으로 재생
↓
훈련 데이터 입력
↓
분류 결과
↓
| 로봇 강아지 산책가자 모양으로 바꾸기 | 로봇 강아지 앉아 모양으로 바꾸기 | 로봇 강아지 배고파 모양으로 바꾸기 | 로봇 강아지 놀자 모양으로 바꾸기 |
↓
강아지 짖는 소리 재생

● '분류 : 텍스트' 모델 기술 미리보기

[▶] 버튼을 눌러 프로그램을 실행하면 'AI 로봇 강아지'가 기본 자세를 하고 나타납니다.

'강아지'를 클릭하면 훈련 방법을 설명한 후 입력 창이 열립니다.

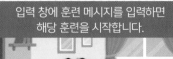
입력 창에 훈련 메시지를 입력하면 해당 훈련을 시작합니다.

◉ 주요 블록 알아보기

학습한 모델로 분류하기	데이터를 입력하고 학습한 모델로 인식합니다.
분류 결과가 힘들어 ▼ 인가?	입력한 데이터의 인식 결과가 선택한 클래스인 경우 '참'으로 판단합니다.
엔트리 읽어주고 기다리기	입력한 문자값을 읽어준 후, 다음 블록을 실행합니다.

---

 ① 텍스트 데이터 기록하기

▶▶ 모델 학습 : 훈련할 데이터를 텍스트로 기록하기

01 [블록]의 [인공지능]에서 [인공지능 블록 불러오기]를 클릭합니다. '인공지능 블록 불러오기' 창이 열리면 [읽어주기]를 선택한 후 [불러오기] 버튼을 클릭합니다.

02 [블록]의 [인공지능]에서 [인공지능 모델 학습하기]를 클릭한 후 '학습할 모델 선택하기' 창이 열리면 [새로 만들기]의 [분류 : 텍스트]를 선택합니다. 이어서 [학습하기] 버튼을 클릭하여 학습명(훈련)을 입력하고, [+클래스 추가하기] 버튼을 이용하여 '산책', '앉아', '밥 먹자', '놀자'를 등록합니다.

03 [모델 학습하기] 버튼을 클릭하여 학습을 완료한 후, 학습한 모델의 결과를 확인합니다.

04 학습한 모델의 결과가 정확하다면 [적용하기] 버튼을 클릭합니다.

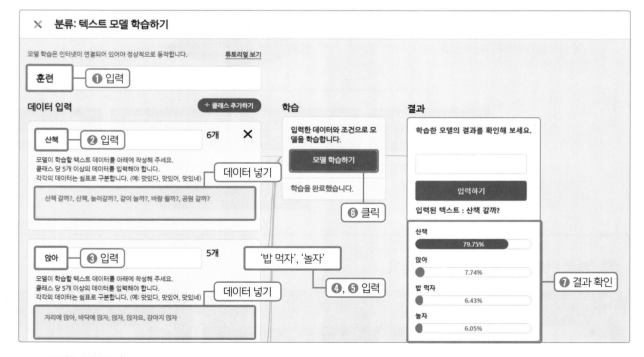

AI 인공지능TIP 데이터 입력 내용 살펴보기

- 산책 : 산책 갈까?, 산책 할래?, 산책 좋아? 공원 산책, 밖에 산책, 같이 산책 등
- 앉아 : 그만 앉자, 저기 앉자, 앉아 있어, 기다려 앉아, 앉아요, 앉을래? 등
- 밥 먹자 : 까까 먹자, 맘마 먹자, 물 먹자, 사과 먹자, 오이 먹자, 사료 먹자 등
- 놀자 : 공 놀자, 친구랑 놀자, 밖에서 놀자, 재밌게 놀자, 신나게 놀자 등

 **로봇 강아지 훈련하기**

▶ **AI 로봇 강아지 : 프로그램 사용 방법을 설명한 후 분석 결과 텍스트로 훈련시키기**

01 훈련을 시작하기 위해 [시작]의 오브젝트를 클릭했을 때 블록과 [생김새]의 ○ 모양으로 바꾸기 블록을 연결한 후, 목록 단추(▼)를 클릭하여 '로봇 강아지 기본 자세'를 선택합니다. 이어서 [인공지능]의 ○ 읽어주고 기다리기 블록 2개를 드래그하여 텍스트에 "로봇 강아지를 훈련합니다.", "데이터 입력 창이 열리면 하고 싶은 훈련을 입력하세요."를 입력합니다.

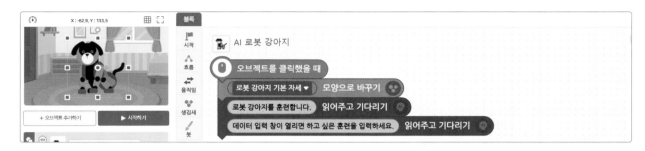

02 텍스트를 분류하기 위해 [인공지능]의 학습한 모델로 분류하기 블록을 드래그하여 연결합니다.

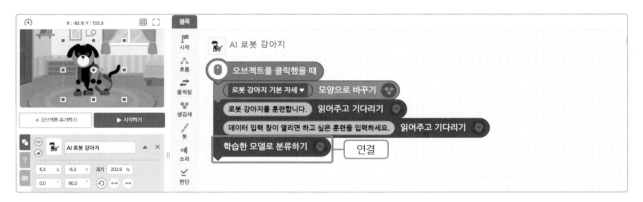

03 분류 결과가 '산책'인지 확인하기 위해 [흐름]의 만일 <창> (이)라면 블록과 [인공지능]의 분류 결과가 ○ 인가? 블록을 드래그하여 연결한 후, 목록 단추(▼)를 클릭하여 '산책'을 선택합니다.

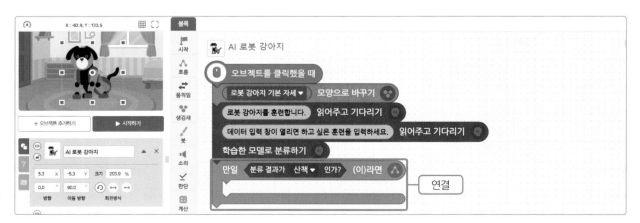

04 훈련에 맞추어 'AI 로봇 강아지'의 모습을 변경하기 위해 [생김새]의 ○ 모양으로 바꾸기 블록을 드래그하여 연결한 후, 목록 단추(▼)를 클릭하여 '로봇 강아지 산책가자'를 선택합니다.

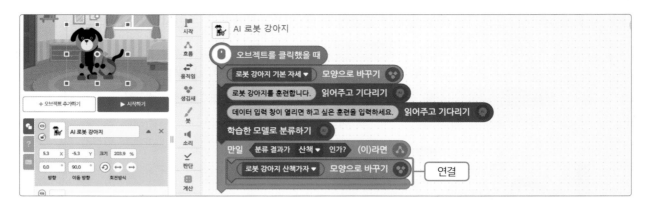

05 03~04와 같이 분류 결과가 '앉아'이면 'AI 로봇 강아지'가 앉도록 '로봇 강아지 앉아'를 선택합니다.

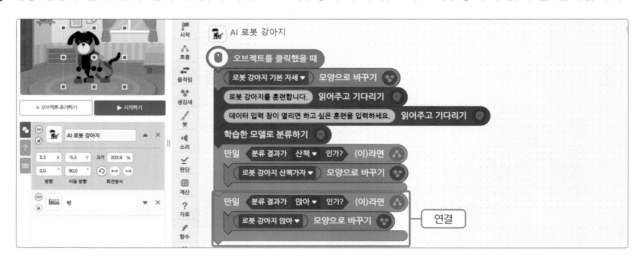

06 03~04와 같이 분류 결과가 '밥 먹자'이면 'AI 로봇 강아지'가 밥 그릇을 가져오도록 '로봇 강아지 배고파'를 선택합니다.

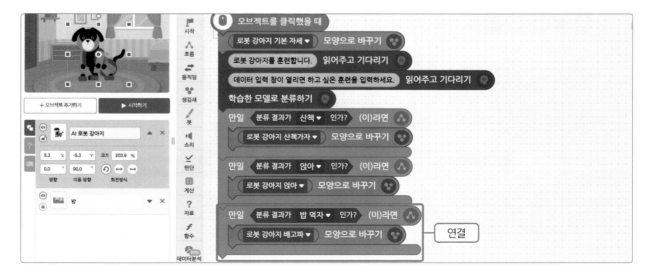

07 **03~04**와 같이 분류 결과가 '놀자'이면 'AI 로봇 강아지'가 공을 가져오도록 '로봇 강아지 놀자'를 선택합니다.

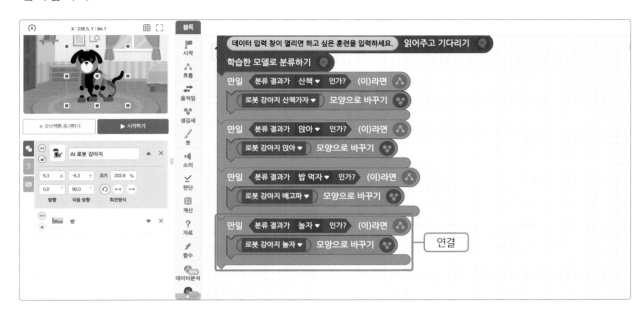

08 훈련을 할 때 강아지가 짖는 것을 표현하기 위해 [소리]의 소리 ○ 재생하기 블록을 드래그하여 연결한 후, 목록 단추(▼)를 클릭하여 '강아지 짖는 소리'를 선택합니다.

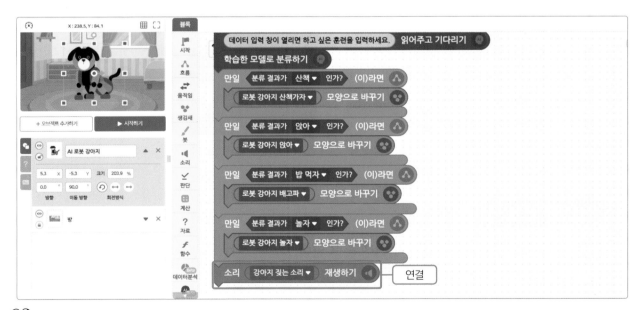

똑똑블록 TIP

소리는 [소리] 탭의 [소리 추가하기] 버튼을 클릭하여 추가할 수 있습니다.

MISSION 나는 똑똑한 AI 개발자

똑똑한 코딩 더하기

실습파일 : 22 AI 로봇 강아지_더하기.ent   완성파일 : 22 AI 로봇 강아지_더하기(완성).ent

01 분류 결과 확인 후 어떤 훈련인지 음성과 함께 나타나도록 코드를 추가해 봅니다.

> **똑똑 해결 과정**   AI 로봇 강아지 : '분석 결과' 판단 → '분류 결과'와 텍스트를 합쳐 읽고 기다리기

도움 명령 블록

```
오브젝트를 클릭했을 때
로봇 강아지 기본자세 ▼  모양으로 바꾸기
로봇 강아지를 훈련합니다.  읽어주고 기다리기
데이터 입력 창이 열리면 하고 싶은 훈련을 입력하세요.  읽어주고 기다리기
학습한 모델로 분류하기
만일  분류 결과가  산책 ▼  인가?  (이)라면
    로봇 강아지 산책가자 ▼  모양으로 바꾸기
만일  분류 결과가  앉아 ▼  인가?  (이)라면
    로봇 강아지 앉아 ▼  모양으로 바꾸기
만일  분류 결과가  밥 먹자 ▼  인가?  (이)라면
    로봇 강아지 배고파 ▼  모양으로 바꾸기
만일  분류 결과가  놀자 ▼  인가?  (이)라면
    로봇 강아지 놀자 ▼  모양으로 바꾸기
소리  강아지 짖는 소리 ▼  재생하기
```

▲ AI 로봇 강아지

더하기 HINT

❶ 제시된 '도움 명령 블록'에 [○ 읽어주고 기다리기], [분류 결과], [○ 과(와) ○를 합치기] 블록을 추가했을 때, 어떠한 결과가 실행될지를 떠올려 미션을 해결하세요.

❷ 분석 결과가 산책일 경우 : 분석 결과('산책')와 '갈까?' 텍스트를 합쳐 음성으로 읽어주기

똑똑한 코딩 디버깅

실습파일 : 22 AI 로봇 강아지_디버깅.ent   완성파일 : 22 AI 로봇 강아지_디버깅(완성).ent

02 분류 결과 'AI 로봇 강아지'가 산책 훈련 명령만 알아 듣는 오류가 발생했습니다. 코드의 오류를 찾아 훈련이 바르게 진행되도록 수정해 봅니다.

디버깅 HINT 'AI 로봇 강아지' 오브젝트 수정

23 AI 분리수거 도우미

준비물　컴퓨터, 스피커

학습목표
- 필요한 데이터를 입력하여 '쓰레기 성분' 분석에 사용할 수 있습니다.
- 분류한 결과로 분리수거를 할 수 있습니다.

실습파일 : 23 분리수거 도우미 AI.ent　　완성파일 : 23 분리수거 도우미 AI(완성).ent

인공지능 만들기

쓰레기를 정리하여 분리수거통에 버려 본 경험이 있나요? 쓰레기 중에는 어느 쪽의 수거통에 분리해야 맞는 건지 몰라 고민하게 만드는 것이 있어요. 이러한 때에 쓰레기 성분을 숫자로 분류하면 편리하게 쓰레기를 버릴 수도 있습니다. 성분을 이용하여 쓰레기 분리를 도와주는 프로그램을 만들어 봅니다.

'쓰레기'의 성분을 입력하면 성분을 분석하여 쓰레기를 분리해 줍니다.

활용 인공지능
- 분류:숫자 : 테이블의 숫자 데이터를 가장 가까운 이웃을 기준으로 각각의 클래스로 분류하는 모델을 학습합니다.
- 읽어주기 : 메시지를 음성으로 재생합니다.

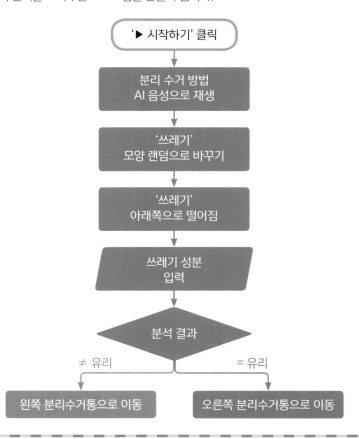

'분류 : 숫자' 기술 미리보기

[▶] 버튼을 눌러 코드를 실행하면 분리수거 방법을 설명합니다.

쓰레기가 화면에 나타납니다.

입력 창에 '쓰레기'의 성분을 숫자로 입력하면 분리수거를 도와줍니다.

🔵 주요 블록 알아보기

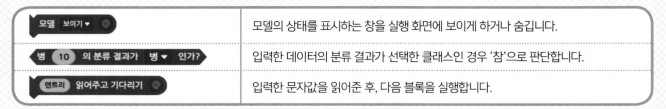

모델 보이기 ▼	모델의 상태를 표시하는 창을 실행 화면에 보이게 하거나 숨깁니다.
병 10 의 분류 결과가 병 ▼ 인가?	입력한 데이터의 분류 결과가 선택한 클래스인 경우 '참'으로 판단합니다.
엔트리 읽어주고 기다리기	입력한 문자값을 읽어준 후, 다음 블록을 실행합니다.

 **테이블 추가하기**

▶▶ 테이블 입력 : 분석할 데이터를 테이블에 입력하기

01 **[블록]**의 **[인공지능]**에서 [인공지능 블록 불러오기]를 클릭합니다. '인공지능 블록 불러오기' 창이 열리면 [읽어주기]를 선택한 후 [불러오기] 버튼을 클릭합니다.

02 **[블록]**의 **[데이터 분석]**에서 [테이블 불러오기]를 클릭한 후, [❶ 테이블 추가하기]-[❷ 새로 만들기]-[❸ 테이블 새로 만들기]를 순서대로 클릭합니다.

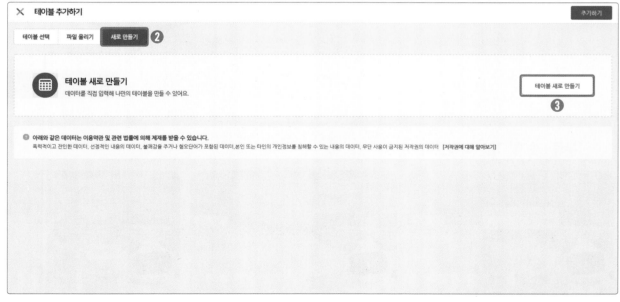

03 테이블이 열리면 이름(분리수거)을 입력한 후 데이터를 다음과 같이 입력합니다.

04 데이터 입력이 끝나면 [저장하기]-[적용하기] 버튼을 순서대로 클릭합니다.

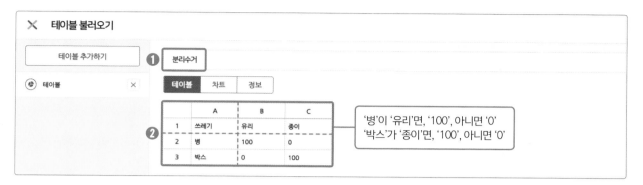

05 [블록]의 [인공지능]에서 [인공지능 모델 학습하기]를 클릭합니다. '학습할 모델 선택하기' 창이 열리면 [새로 만들기]의 [분류 : 숫자]를 선택합니다. 그리고 [학습하기] 버튼을 클릭하여 다음과 같이 입력합니다.

06 [모델 학습하기] 버튼을 클릭하여 학습을 완료한 후 학습한 모델의 결과를 확인합니다.

07 학습한 모델의 결과가 정확하다면 [적용하기] 버튼을 클릭합니다.

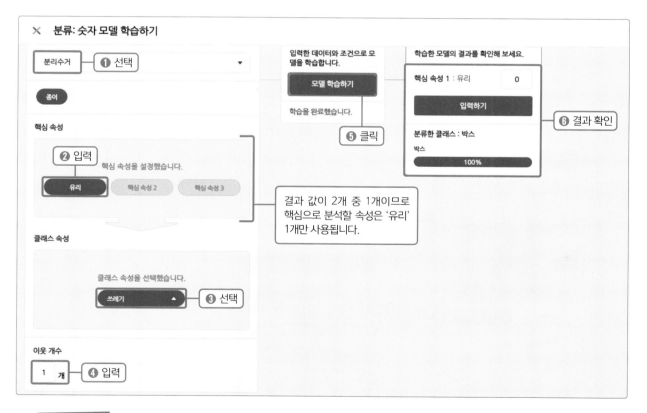

인공지능 TIP

· 핵심 속성 : 모델 학습에 사용할 속성으로 데이터에 입력된 첫 번째 칸(A1 칸)을 제외한 나머지가 사용될 수 있습니다.

· 클래스 속성 : 핵심 속성을 제외한 나머지 속성이 모두 나타납니다.

· 이웃 개수 : 이웃 개수는 데이터의 개수만큼 사용할 수 있습니다. 데이터가 16개라면 참고할 이웃 개수는 16개까지 설정이 가능합니다. 이웃 개수는 데이터가 입력되면 값이 비슷한 가장 가까운 이웃을 기준으로 클래스를 분류합니다.

② 쓰레기 분리수거하기

▶ 쓰레기 : 쓰레기의 성분을 분석하여 분리수거 통으로 이동하기

01 쓰레기가 종류(모양)대로 위쪽에서 랜덤으로 떨어지도록 [시작]의 `○ 신호를 받았을 때` 블록과 [생김새]의 `○ 모양으로 바꾸기` 블록과 [계산]의 `○부터 ○ 사이의 무작위 수` 블록을 드래그하여 연결한 후, 목록 단추(▼)를 클릭하여 '분리수거 시작'을 선택하고, 값에 '1', '2'를 입력합니다.

02 [움직임]의 `x : ○ y : ○ 위치로 이동하기` 블록과 [흐름]의 `○ 번 반복하기` 블록과 [움직임]의 `y 좌표를 ○ 만큼 바꾸기` 블록을 드래그하여 연결한 후 위치값에 '0', '150'을, 반복값에 '55'를, 좌표 값에 '-1'을 입력합니다.

03 성분을 입력하는 방법을 설명하기 위해 [인공지능]의 `○ 읽어주고 기다리기` 블록과 [자료]의 `○을(를) 묻고 대답 기다리기` 블록을 드래그하여 연결한 후, 텍스트에 "쓰레기의 성분이 유리인가요? 성분 값을 0~100으로 입력합니다.", "성분 입력"을 입력합니다.

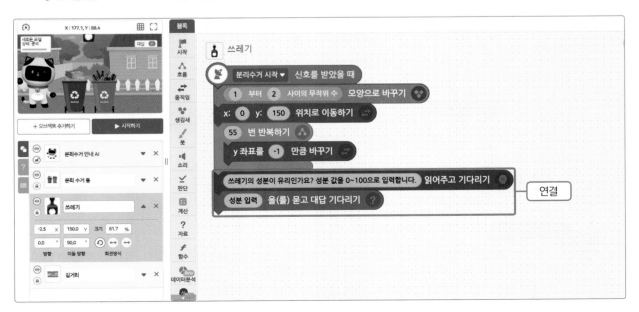

04 쓰레기의 성분이 유리인지 확인하기 위해 [흐름]의 [만일 O (이)라면 아니면] 블록과 [인공지능]의 [유리 O의 분류 결과가 '병'인가?] 블록과 [자료]의 [대답] 블록을 드래그하여 연결합니다.

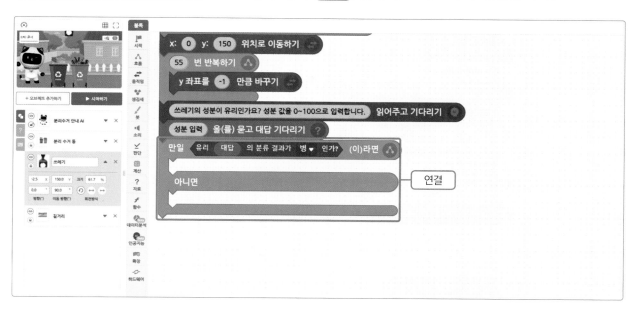

05 성분이 분석되면 해당하는 분리수거 통으로 이동하도록 [흐름]의 [O번 반복하기] 블록과 [움직임]의 [x좌표를 O만큼 바꾸기] 블록과 [y좌표를 O만큼 바꾸기] 블록을 드래그하여 연결한 후, 값에 '30'번, '2', '-4', '30'번, '-2', '-4'를 순서대로 입력합니다.

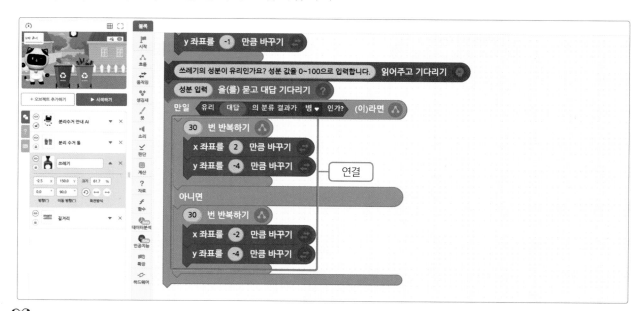

똑똑블록 **TIP**

• x좌표 값 : '음수'는 왼쪽으로 이동, '양수'는 오른쪽으로 이동
• y좌표 값 : '음수'는 아래쪽으로 이동, '양수'는 위쪽으로 이동

01 '분리수거 안내 AI' 오브젝트에 미리 작성되어 있는 코드를 확인해 봅니다.

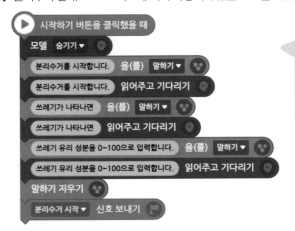

[▶] 버튼을 눌러 코드를 실행하면 화면에 띄워진 학습모델을 숨긴 후, 분리수거 방법에 대해 설명합니다. 설명 후 분리수거를 시작할 수 있도록 신호를 보냅니다.

[▶] 버튼을 눌러 코드를 실행하면 '분리수거 AI'가 움직이도록 모양을 바꿉니다.

'분리수거 시작' 신호를 받으면 '분리수거 AI'가 움직임을 멈추도록 '자신의 다른' 코드를 멈춥니다.

나는 똑똑한 AI 개발자

똑똑한 코딩 더하기
실습파일 : 23 분리수거 도우미 AI_더하기.ent   완성파일 : 23 분리수거 도우미 AI_더하기(완성).ent

01 분리수거를 안내할 때 음성이 바뀌도록 코드를 추가해 봅니다.

똑똑 해결 과정	분리수거 안내 AI : [▶] 버튼을 클릭했을 때 → '분류 결과'와 텍스트를 합쳐 읽고 기다리기

도움 명령 블록

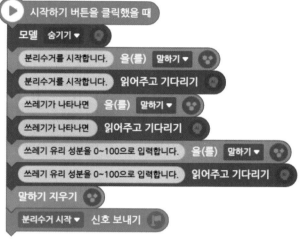

▲ 분리수거 안내 AI

더하기 HINT 제시된 '도움 명령 블록'에 [○ 목소리를 ○ 속도 ○ 음높이로 설정하기] 블록을 추가했을 때, 어떠한 결과가 실행될지를 떠올려 미션을 해결하세요.

똑똑한 코딩 디버깅
실습파일 : 23 분리수거 도우미 AI_디버깅.ent   완성파일 : 23 분리수거 도우미 AI_디버깅(완성).ent

02 분류 결과 분리수거를 거꾸로 하는 오류가 발생했습니다. 코드의 오류를 찾아 분리수거를 알맞게 하도록 수정해 봅니다.

디버깅 HINT '쓰레기' 오브젝트 수정

24 펫을 추천해 주는 AI

준비물 | 컴퓨터, 스피커

학습 목표
- 필요한 데이터를 입력하여 '마음이 원하는 펫' 분석에 사용할 수 있습니다.
- 분류한 결과로 '나'에게 어울리는 펫을 찾아 줄 수 있습니다.

실습파일 : 24 펫 추천 AI.ent　　완성파일 : 24 펫 추천 AI(완성).ent

인공지능 만들기

반려동물을 키워 보고 싶은 마음이 든 적이 있나요? 그렇다면 여러분이 키우고 싶은 반려동물의 종류는 무엇인 가요? 잘 모르겠어서 고민이라면 누구에게 도움을 요청해 보는 게 좋겠지요? 이번 시간에는 여러분이 반려동 물과 하고 싶은 일을 데이터로 입력하면 데이터를 분석하여 어울리는 반려동물을 추천해 주는 프로그램을 만 들어 봅니다.

'버튼'을 눌러 자신이 좋아하는 펫 스타일을 데이 터로 입력합니다. 입력된 데이터를 분석하여 펫을 추천해 줍니다.

활용 인공지능
- 분류:숫자 : 테이블의 숫자 데이터를 가장 가까 운 이웃을 기준으로 각각의 클래스로 분류하는 모델을 학습합니다.
- 읽어주기 : 메시지를 음성으로 재생합니다.

'▶ 시작하기' 클릭

펫 찾는 방법
AI 음성으로 재생

'버튼' 클릭

데이터 입력 방법
AI 음성으로 재생
↓
산책하고 싶은
데이터 값 입력
↓
관상하고 싶은
데이터 값 입력
↓
대화하고 싶은
데이터 값 입력
↓
분류 결과 화면에 출력

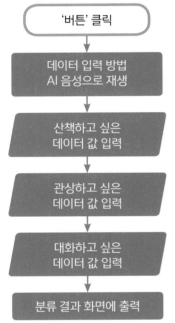

🔵 '분류 : 숫자' 모델 기술 미리보기

[▶] 버튼을 눌러 코드를 실행하면 데이터 입력 방법을 설명합니다.

'버튼'을 눌러 데이터 값을 입력합니다.

데이터를 숫자로 입력하면 분석하여 나와 어울리는 펫을 찾아줍니다.

● 주요 블록 알아보기

대화 ▼ 값	선택한 변수에 저장된 값입니다.
대화 ▼ 를 10 (으)로 정하기 ?	선택한 변수의 값을 입력한 값으로 정합니다.
산책 10 관사용 10 대화 10 의 분류 결과	입력한 데이터를 모델에서 분류한 값입니다.
엔트리 읽어주고 기다리기	입력한 문자값을 읽어준 후, 다음 블록을 실행합니다.

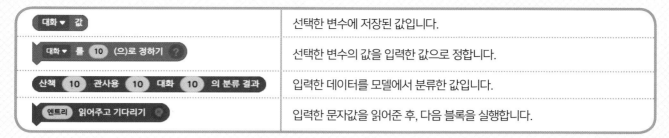

① 테이블 추가하기

▶▶ 테이블 입력 : 분석할 데이터를 테이블에 입력하기

01 [블록]의 [데이터 분석]에서 [테이블 불러오기]를 클릭한 후, [테이블 추가하기]-[새로 만들기]-[테이블 새로 만들기]를 순서대로 클릭합니다.

02 테이블이 열리면 '이름(애완동물)'과 테이터를 다음과 같이 입력합니다.

03 데이터 입력이 끝나면 [저장하기]-[적용하기] 버튼을 순서대로 클릭합니다.

	A	B	C	D
1	애완동물	산책	관상용	대화
2	강아지	100	10	80
3	고양이	40	0	60
4	햄스터	0	80	10
5	강아지	70	0	90
6	고양이	40	0	60
7	강아지	80	0	70
8	앵무새	20	10	100
9	고양이	30	50	100
10	햄스터	0	100	50
11	고양이	20	0	50
12	햄스터	0	90	0
13	햄스터	0	100	10
14	앵무새	30	0	100
15	강아지	80	10	90
16	앵무새	30	10	80

TIP
- 데이터는 애완동물을 키우고 싶은 친구들에게 설문조사를 하여 기록해 봅니다.
- 애완동물과 산책하고 싶은 마음과 애완동물을 구경(관상용)하고 싶은 마음과 애완동물과 대화하고 싶은 마음을 '0~100'의 값으로 표현하여 입력해 봅니다.
- 예를 들어 산책을 하고 싶지 않다면 '0'에 가까운 숫자를 입력하고, 산책을 많이 하고 싶다면 '100'에 가까운 숫자를 입력합니다.

인공지능 TIP
많은 양의 데이터를 입력할 경우, 인공지능이 자세하고 세밀하게 데이터를 분석하게 됩니다.

04 **[블록]**의 **[인공지능]**에서 [인공지능 모델 학습하기]를 클릭합니다. '학습할 모델 선택하기' 창이 열리면 [새로 만들기]의 [분류 : 숫자]를 선택합니다. 그리고 [학습하기] 버튼을 클릭하여 다음과 같이 입력합니다.

05 [모델 학습하기] 버튼을 클릭하여 학습을 완료한 후, 학습한 모델의 결과를 확인합니다.

06 학습한 모델의 결과가 정확하다면 [적용하기] 버튼을 클릭합니다.

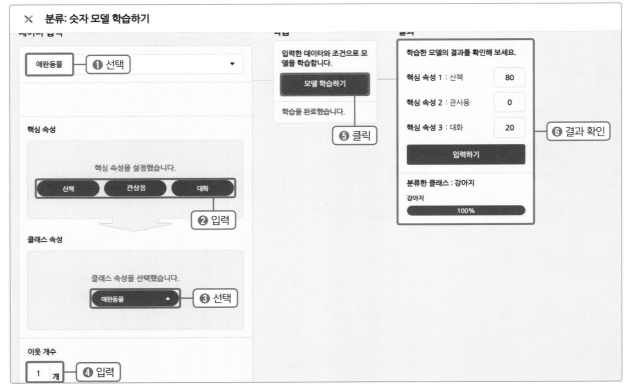

인공지능 TIP

- 핵심 속성 : 모델 학습에 사용할 속성으로 데이터에 입력된 첫 번째 칸(A1 칸)을 제외한 나머지가 사용될 수 있습니다.
- 클래스 속성 : 핵심 속성을 제외한 나머지 속성이 모두 나타납니다.
- 이웃 개수 : 이웃 개수는 데이터의 개수만큼 사용할 수 있습니다. 데이터가 16개라면 참고할 이웃 개수는 16개까지 설정이 가능합니다. 이웃 개수는 데이터가 입력되면 값이 비슷한 가장 가까운 이웃을 기준으로 클래스를 분류합니다.

② 펫 추천하기

▶ 펫 : 입력된 데이터를 분석하여 어울리는 펫 추천하기

01 펫 고르는 모습을 표현하기 위해 [시작]의 `O 신호를 받았을 때` 블록을 연결한 후, 목록 단추(▼)를 클릭하여 '결과'를 선택합니다. 이어서 [생김새]의 `모양 보이기` 블록과 [흐름]의 `O번 반복하기` 블록과 [생김새]의 `O 모양으로 바꾸기` 블록을 드래그하여 연결한 후 값에 '10'을 입력합니다.

02 분석한 결과를 모양으로 보여 주기 위해 [생김새]의 `O 모양으로 바꾸기` 블록과 [인공지능]의 `산책 O 관상용 O 대화 O 의 분류 결과` 블록과 [자료]의 `O 값` 블록을 결합하여 연결한 후, 목록 단추(▼)를 클릭하여 '산책', '관상', '대화'를 선택합니다.

**똑똑블록 TIP**

[산책 값], [관상 값], [대화 값] 블록은 자신과 어울리는 펫을 찾을 때 사용자가 직접 입력한 데이터 값입니다.

03 추천된 펫을 음성으로 재생하기 위해 [인공지능]의 `O 읽어주고 기다리기` 블록과 [계산]의 `O과(와) O를 합치기` 블록 2개를 드래그하여 연결합니다.

04 이어서 [인공지능]의 `산책 O 관상용 O 대화 O 의 분류 결과` 블록과 [자료]의 `O 값` 블록을 드래그하여 연결한 후, 목록 단추(▼)를 클릭하여 '산책', '관상', '대화'를 선택합니다. 그리고 "나와 어울리는 펫은", "입니다"를 입력합니다.

사용자가 입력한 [산책 값], [관상 값], [대화 값]으로 분석하여 찾은 펫의 종류를 인공지능이 음성으로 알려 줍니다.

 **명령 블록 알아보기**

01 'AI 펫 안내' 오브젝트에 미리 작성되어 있는 코드를 확인해 봅니다.

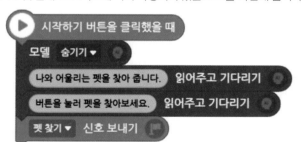

 [▶] 버튼을 눌러 코드를 실행하면 화면에 나타나는 학습 모델을 숨긴 후, 펫을 찾는 방법을 음성으로 재생합니다. 펫 찾기를 시작하기 위해 신호를 보냅니다.

'결과' 신호를 받으면 'AI 펫 안내'의 모습이 신나는 모습인 'AI 펫 안내2'로 바뀝니다.

 '펫 찾기' 신호를 받으면 'AI 펫 안내'의 모습이 설명하는 모습인 'AI 펫 안내1'로 바뀝니다.

02 '펫' 오브젝트에 미리 작성되어 있는 코드를 확인해 봅니다.

 [▶] 버튼을 눌러 코드를 실행하면 분석 결과가 나오기 전까지 화면에서 숨깁니다.

03 '버튼' 오브젝트에 미리 작성되어 있는 코드를 확인해 봅니다.

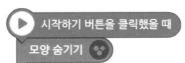

[▶] 버튼을 눌러 코드를 실행하면 'AI 펫 안내'가 설명하는 '버튼'을 누르지 못하도록 화면에서 숨깁니다.

펫 찾기가 시작되면 '버튼'을 누를 수 있도록 화면에 '버튼'을 보입니다.

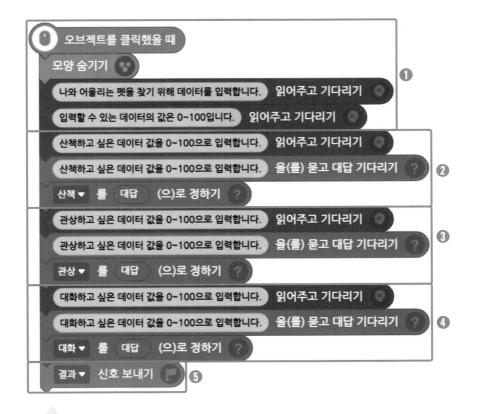

❶ '버튼'을 누르면 데이터 입력 방법을 음성으로 재생합니다.

❷ 펫과 함께 산책하고 싶은 마음을 '0~100'으로 입력합니다. 입력한 값은 '산책' 변수에 기록됩니다.

❸ 펫을 관상하고 싶은 마음을 '0~100'으로 입력합니다. 입력한 값은 '관상' 변수에 기록됩니다.

❹ 펫과 대화하고 싶은 마음을 '0~100'으로 입력합니다. 입력한 값은 '대화' 변수에 기록됩니다.

❺ '결과' 신호를 보내 펫을 추천 받습니다.

나는 똑똑한 AI 개발자

똑똑한 코딩 더하기

실습파일 : 24 펫 추천 AI_더하기.ent　　완성파일 : 24 펫 추천 AI_더하기(완성).ent

01 'AI 펫 안내'를 설명할 때 화면에 설명이 글자로 함께 나타나도록 코드를 추가해 봅니다.

똑똑 해결 과정	AI 펫 안내 : 읽어주고 기다릴 때 → 텍스트로 설명 출력

도움 명령 블록

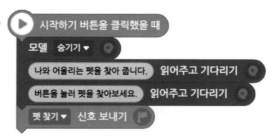

▲ AI 펫 안내

> **더하기 HINT** 제시된 '도움 명령 블록'에 [○ 을(를) 말하기] 블록을 추가했을 때, 어떠한 결과가 실행될지를 떠올려 미션을 해결하세요.

똑똑한 코딩 디버깅

실습파일 : 24 펫 추천 AI_디버깅.ent　　완성파일 : 24 펫 추천 AI_디버깅(완성).ent

02 펫 추천 결과와 다르게 음성이 재생되는 오류가 발생했습니다. 코드의 오류를 찾아 결과를 제대로 알려 주도록 수정해 봅니다.

> **디버깅 HINT** '펫' 오브젝트 수정

내가 만약 인공지능 개발자라면?

1 만들고 싶은 인공지능을 떠올려 그림 장면으로 나타낸 후 설명하는 내용을 빈칸에 써 보세요.

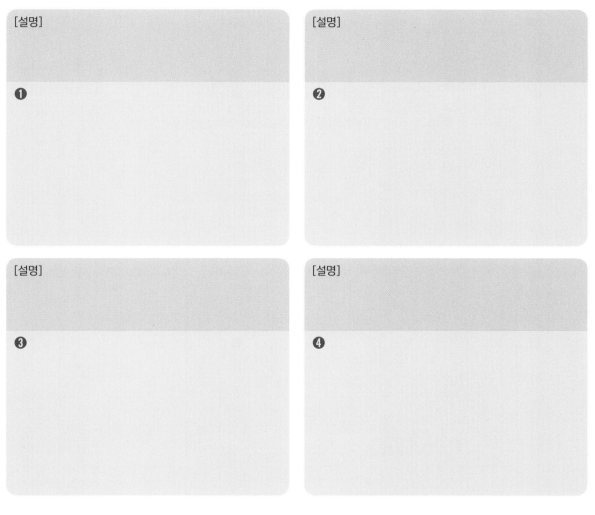

[설명]

❶

[설명]

❷

[설명]

❸

[설명]

❹

2 장면으로 나타낸 내용을 코딩하려면 어떤 명령 블록을 사용해야 할까요? 떠오르는 대로 자유롭게 써 보세요.

내가 만약 인공지능 개발자라면?

1 만들고 싶은 인공지능을 떠올려 그림 장면으로 나타낸 후 설명하는 내용을 빈칸에 써 보세요.

[설명]

❶

[설명]

❷

[설명]

❸

[설명]

❹

2 장면으로 나타낸 내용을 코딩하려면 어떤 명령 블록을 사용해야 할까요? 떠오르는 대로 자유롭게 써 보세요.

내가 만약 인공지능 개발자라면?

1 만들고 싶은 인공지능을 떠올려 그림 장면으로 나타낸 후 설명하는 내용을 빈칸에 써 보세요.

[설명]

❶

[설명]

❷

[설명]

❸

[설명]

❹

2 장면으로 나타낸 내용을 코딩하려면 어떤 명령 블록을 사용해야 할까요? 떠오르는 대로 자유롭게 써 보세요.

내가 만약 인공지능 개발자라면?

1 만들고 싶은 인공지능을 떠올려 그림 장면으로 나타낸 후 설명하는 내용을 빈칸에 써 보세요.

[설명]

❶

[설명]

❷

[설명]

❸

[설명]

❹

2 장면으로 나타낸 내용을 코딩하려면 어떤 명령 블록을 사용해야 할까요? 떠오르는 대로 자유롭게 써 보세요.